象と耳鳴り

恩田 陸

祥伝社文庫

目次

曜変天目《ようへんてんもく》の夜

よう―へん【窯変】陶磁器の焼成中、火焰の性質その他の原因によって、素地や釉《うわぐすり》に変化が生じて変色し、または形のゆがみ変ること。また、そのためできた陶磁器。ひがわり。

よう―へん【曜変・燿変】中国福建省《ふっけんしょう》の建窯《けんよう》で南宋時代に作られた天目《てんもく》茶碗の一。漆黒釉面《ゆうめん》に大小の星紋が浮び、そのまわりが玉虫《たまむし》色に光沢を放つ。天目で最上のもの。

「広辞苑」第四版（ルビは編集部）

――きょうは、ようへんてんもくのよるだ。

今しも、倒れた老婦人が目の前を運び出されていくところであり、関根多佳雄《せきねたかお》は一瞬自分がデジャ・ヴを見ているのかと思った。それほどその光景は、彼の記憶のはるか底の方から閃光《せんこう》のように蘇《よみがえ》ってきたのだ。

あの夜と、同じだ。

「大丈夫でしょうかねえ、こんなに混んでいますものねえ」

隣では妻の桃代《ももよ》が、運ばれる老婦人を心配そうに見送っている。彼女よりも十歳ほど年上だろうか。しかし、彼の妻は実際の年齢よりもかなり若く見えるから、案外同じくらいの歳かもしれない。

確かに会場は混んでいた。狭い会場に多数の年配の客、それも圧倒的に女性客がひしめきあっている。美術作品を押し合いへしあいしながら眺めることくらい不毛なものはない、と彼は苦々しく思ったが、国宝の茶碗の久々の限定公開、しかも本日が最終日ときては、会場が殺気立つのも無理はない。

茶道仲間の友人にその評判を聞いた妻が見たいと言うのにつられたのと、関根多佳雄自身も駅のポスターで見た茶碗の写真に惹《ひ》かれたために、のこのこ遠くから出てきたが、駅前のバス乗り場から長蛇の列で、嫌な予感がした時には既《すで》に遅かった。

今どき東京にこんなところがあるのかと思われるほど、鬱蒼《うっそう》とした林の中にその美術館はあった。寿司詰め状態のバスから吐き出された乗客たちは更《さら》にえんえんと歩かされ、入場時間ぎりぎりに会場にすべりこんだ時には、短くなる一方の秋の陽射《ひざ》しはもう遠のいていた。ここまでで、早くも彼の機嫌は大きく斜めに傾いている。

それでなくても関根多佳雄という男は、最も物資の乏《とぼ》しい時代を生きた年代にしては見上げるような大男だ。それが、同年代の中でも選《え》りすぐったのかと思われるほど極《きわ》めて小柄な人々で人口密度の高いこの場所にいると、人様の分も空間と酸素を消費しているようでますます居心地が悪い。

それでも気を取り直して会場をぎろりと見回す。目指す茶碗はというと、奥の方の細長いガラスケースの中にさりげなくちょこんと収まっていた。その周りには、その中身からなんらかの恩恵にあやかろうと目をぎらぎらさせた人々の顔がびっしりと隙間を埋めており、滑稽《こっけい》やらおぞましいやら。心の中で苦笑しながらも、彼はその長身を生かしてケースの中の茶碗をひょいと覗《のぞ》きこんだ。

最初の感想は、「意外と貧弱だな」の一言だった。

ポスターの写真の印象から、もっと大きな茶碗を想像していたのに、目の前の茶碗は大きめの真っ黒な御飯茶碗、くらいのサイズだった。むしろ、隣のガラスケースに並べてある油滴天目茶碗《ゆてきてんもく》の方が充分な大きさがある上に、黒い素地一面に細かく散った七色に輝くしぶきのような模様が美しく、優れて見えた。

「こんなに小さいものだったんですね」

桃代の感想も同じだったらしい。しかし、中に浮かんだ数々の星紋は、確かに自然の造形物であるとは信じられないほどだった。その小さな黒い空間に、何か特別なものが凝縮されて詰まっていた。

その時、既に予感はあった。自分が何かを思い出しかけているという。

グリーンのカーペット。黒い茶碗。降るような星空。桜の花。

どさっ、という音がして、人々はその音の方向を見た。痩《や》せた女性が床に倒れている。あっ、と思った。

――きょうは、ようへんてんもくのよるだ。

飛び散る花びら。黒い茶碗。隣に倒れている男。

貧血を起こしたらしいその女性が運び出されると、会場はたちまち元の雰囲気に戻る。

多佳雄は他の展示物を見ながら、じっと考えていたが、おもむろに口を開いた。

「――ねえ、なんといいましたっけ、あの人。八王子《はちおうじ》の。十年ほど前に亡くなった」

「ああ、酒寄《さかより》さんですね。たしか、偉い学者さんじゃなかったでしたっけ。あなた、その場に居合わせたんでしたね。どうしたんですか、急に」

「そうか、酒寄さんでしたね」

多佳雄は妻の記憶力に感心する。要するに、妻は想像力があるのだ。彼女の家は、代々著名な日本画家を輩出していて、彼女の腕もかなりのものだった。多佳雄がこれこれこういう人に会って、こんな人だった、と言う。すると、彼女はいくつか多佳雄に容姿や人柄に関する質問をするだけで、かなり具体的にその人物を思い浮かべることができるらしい。しばらく経《た》ってから実際にその人物を妻に紹介しようとして、こちらが名前を出す前に、彼女が「誰々さんですね、伺《うかが》っております」とはっきり名前を口に出して驚かされることが一度ならずもあった。

酒寄順一郎《じゅんいちろう》。そうだ、そういう名前だった。鮮明な記憶が蘇ってくる。彼は司法学者だった。多佳雄がまだ裁判官をしていた頃、たびたび八王子の自宅を訪ねていっては、深夜まで熱心に判例の解釈について話し合ったものだ。最近話題になったイギリスのホーキング博士に似ていないこともない。多佳雄はいつも自分で提《さ》げていったウイスキーを呷《あお》っていたが、彼は大の紅茶党で、細君に作らせた英国式のスコーンをゆっくり齧《かじ》りながらゆるゆると紅茶を飲んでいた。

その日も、すっかり遅くまで話しこんだ多佳雄がいつものように一階の客間で眠りこみ、順一郎は二階の寝室に引き上げていった。その夜、彼は帰らぬ人となったのである。

記憶というのは、しばしば不可思議な形で脳味噌《のうみそ》に収まっているものだ。

ある特定の記憶は、なぜか自分の目で見た形ではなく、自分をも含めて誰かが天井から見下ろした形で収まっている。多佳雄にとってそういう記憶は二つある。一つは初めて女性と寝た時の記憶であり、もう一つは冷たくなった順一郎を発見した時の記憶である。一つめの方については、行為についての感想はさっぱり覚えていないのに、女性と寝ている自分という場面だけは、写真のように鮮明な形で思い出せる。狭い木造家屋の二階の角部屋。自分のだだっぴろい背中と日焼けした首筋（もちろん後ろ側だ）が見え、その隣に女性の青白いどこか刹那《せつな》的で気怠《けだる》い顔が覗いている。彼女の空虚な目は、じっと天井のこちらを見つめている。掛け布団の柄《がら》は芍薬《しゃくやく》の花を写したもので、部屋の隅《すみ》の屑籠《くずかご》の中には、破いた葉書が入っていたということまで覚えている。

一方、順一郎の発見は、それこそ推理小説によくある殺人現場の「図解」そのものの記憶である。緑色のカーペットの上に順一郎は倒れており、片手はカーペットの上に転がった黒い抹茶《まっちゃ》茶碗にかけられていた。死に顔は安らかだった。離れた板張りのところに、ティーポットとカップが落ちて割れていた。それを呆然と見下ろしている自分がいて、更にその二人を、どこかもっと高いところから見下ろしている記憶がある。これは誰の記憶なのだろう？

当時、順一郎は徐々に体調を崩しており、最後に会った日は本当に弱っていた。透き通りそうに青白い肌。指先も時折震え、カップを受け皿に置こうとすると、かちゃかちゃと神経質な音をたてた。

——今年はもう、早々にブランケットを出したよ。年々寒さを感じるのが早くなる。この手足の冷たさといったら！　いやはや、我々は毎日少しずつ死んでいっているわけだが、この手足ときたら、それを深く実感させられるねえ。

彼は自分のティーセットを非常に大事にしており、決して他人には触らせなかった。ノリタケが戦後輸出用に作ったというポットとカップ。レトロな柄なのに、どこかモダンな香りのする黄色と黒の花柄。それを戸棚にしまいこんで、鍵までかけていた。彼はいつでも二階でお茶が飲めるように、二階にも小さな流しをこしらえており、お茶を飲んだあともゆっくり丁寧《ていねい》にポットとカップを洗っていた。彼が背中を丸め、時間をかけてカップを洗う姿が印象に残っている。

その彼が、その日、その茶碗の話をしたのだった。

――最近、抹茶用の茶碗にも興味を持ってね。君、曜変《ようへん》天目茶碗というのを知っているかね？かつて中国から伝わり、まだ日本の茶道がわび・さびを確立する前の時代、茶碗そのものの美しさが珍重《ちんちょう》された時代に最上のものとされた茶碗。窯《かま》の中でいったいどのような偶然が起きてあんなものができるんだろう、いまや日本でしか存在しない奇跡の茶碗。その一つを曜変天目という。イヤア、一度だけ見たことがあるんだが、茶碗の中にたくさんの星ぼしが散っていて、蒼《あお》く輝いている。それがネ、本当に宇宙をさかさまにのぞきこんでいるような錯覚を覚えるんだ。その中にすっぽり宇宙が収まっているんだよ。あれにはすっかり魅せられてしまってね、とてもあんなものは手に入れられないが、形の似た真っ黒な茶碗を求めて、その中にあの星ぼしを思い浮かべてみるんだ。

我々は肉体という容《い》れものに閉じ込められている、この肉体という窯の中で、何十年も燃え続ける、窯の外からは解らないけれど、中では何かがじりじりと灼《や》かれて少しずつ変化していくのさ、最後に窯を開けてみて、美しい茶碗が出てくるか、割れた土くれが出てくるかは誰にも解らない――ねえ君、例《たと》えば君は私がすっかり私の記憶を失くしていて、君のことを忘れてしまっていたら、君は君の知っている私とその私とを同じ人間だと思うかね？　窯を開けた時に、以前と同じ人間かどうかは、誰にもわからないじゃないか？

彼は楽しそうだった。純粋に理性の世界に遊ぶことのできる人間だけが見せる、あの歌うようなあどけない表情が目に浮かぶ。そして、ぽつりと言ったのだ。

――今日は、曜変天目の夜だ。


会場をひとあたり見たあとで、多佳雄は再び曜変天目茶碗のところへ戻ってきた。

その中をもう一度覗きこんでみる。そこだけ空気が濃いような、密度の重さを感じるのは気のせいだろうか。子供の頃、台所で母親が太巻き寿司を作っているのを見ていたことを思い出す。薄焼き卵やでんぶ、かんぴょうが無造作に敷いてあったように見えたのに、巻き簾《す》でぎゅっと転がして菜切《なき》り包丁でさくりと切ると、その断面に凝縮された思いがけない模様が見えてくる。あれと同じだ。何か巨大なものをすさまじい圧力で押し縮めたような緊張感が、茶碗の周囲を覆《おお》っている。自然界においては、完璧な造形というのはしばしばその完璧さゆえに畸形《きけい》な印象を受け、畏怖《いふ》の対象となるものだが、これがそうらしい。そして、まさにこれは、超新星の誕生の瞬間を土に封じ込めたモニュメントなのだ。そんなことを驚嘆と共に思いめぐらしていると、だんだん茶碗が大きく見えてくる。星ぼしの蒼い輝きが、より一層冷たい熱を帯びて彼に迫ってくる

――


「そういえば、あなた、あのあとに手紙が来ましたね」

妻の声で彼は我に返った。

ぎゃあぎゃあと群れをなして遠ざかるムクドリの声。

気が付くと、彼はすっかり日の暮れた道を、他の客たちとともにぞろぞろと出口に向かっているところだった。

「あのあと？」

多佳雄はおうむ返しに尋ねた。

「酒寄さんの亡くなったあとですよ。あなたはそのまま葬儀の手配のお手伝いをして、お通夜をして、うちに帰ってらしたのは二日くらい経ってからでしたでしょ？　そのあと、うちに酒寄さんから手紙が届いたんですよ。わたし、郵便受けから手紙を出して、裏返して名前を見てびっくりしたのを覚えてますもの」

多佳雄も思い出した。死者からの手紙。

あとから聞いた話では、順一郎の研究室の助手が、まだ彼の死を知らないうちに、机の上に出しっぱなしになっていた手紙を、気をきかせて投函したということだ。

彼は自分の衰弱ぶりから、死期が近いことを悟っていたらしい。手紙には、自分が近々死ぬであろうということと、長年の友情に対する礼とが彼らしい淡々とした文章で簡潔にしるされていて、すこぶるあっけない手紙であった。なんとも用意のいい男だ、と半ばあきれ顔になった瞬間、封筒の底に何かが残っていることに気付いた。手紙の最後の一節をふと読み返す。

――年寄りのささやかな感傷。悪いが、君にはこれを持っていてほしい。

多佳雄は封筒を逆さにした。ぱさ、と軽いものが机の上に落ちる。髪の毛だった。順一郎の白髪が、数本束ねられてそこに落ちていた。

「あたしも見たわ、あの茶碗。すごいわよね、見た瞬間はショボイなって思うんだけど、何度も見てるとだんだん鬼気迫る感じがしてくるのよね」

その夜、娘の夏《なつ》が予約しておいてくれた京橋《きょうばし》のフランス料理のレストランで、現われた夏は開口一番そう言った。

クリーム色のノーカラーのスーツに、二連の真珠《しんじゅ》のネックレスとイヤリング。我が娘ながら、実に美しい。それなりの場数を踏んで、弁護士という職業に自信をつけてきたことと、近ごろ婚約したこともあり、公私ともに充実の時、というところだろう。もっとも婚約者は売り出し中の若手の指揮者で、ヨーロッパ公演の真っ最中。当分別々に暮らすことになるのは二人とも承知の上である。

それにしても、同じものを見て同じような感想を持つというのは、やはり血のつながりのせいであろうか。こうしてたまに娘に会うと、昔小学校の担任に言われた言葉が、最近になってやけに思い出される。

夏ちゃんはその――とにかく頭のいい子ですわ。なんというか、言葉は悪いですが、一種悪魔的、と言いましょうか。とにかく、他人を自分の思い通りに動かすことにかけては天才的だ。傍《はた》目《め》にはそんなふうに見えないのに、気が付くと皆、教師たちでさえ、いつのまにか彼女の望む方向に進まされているんですな。意識してやってるにしろ、無意識にやってるにしろ、どちらにしても少々末恐ろしい。

確かに、上と下の息子のナイーブさに比《くら》べ、夏の感情の安定度は際立《きわだ》っていた。とにかく、怒るべき状況でも、悲しむべき状況でも、彼女には第三者的に面白がってしまう方が先なのである。このように豪胆な、はっきり言って人間離れした娘に相手が見つかるのかとひそかに心配していたのだが、更にひとまわりも大きくすこんと抜けた大陸的な青年を連れてきたので、上には上がいるものだとあきれた。

夏は店員と懇意にしているらしく、皆ニコニコと彼女に寄ってきて話しかける。

娘のあしらいは堂にいったものだ。あの茶目っ気と色香をまじえた視線でウイットに富んだ台詞《せりふ》をかけられたら、若いギャルソンなどはたまらないだろう。

「あたしね、あの茶碗を見ると、なぜか落語の『あたま山』を思い出しちゃうの。知ってるでしょ。サクランボを種《たね》ごと食べた男がいる。その種がおなかの中で育って、頭のてっぺんに桜の木が生《は》えてきちゃって、周りで近所の人が花見をするんでうるさくてたまらない。あんまりうるさいんで、桜の木を抜いちゃう。ところがそのあとに池ができて、漁師が魚を取りに来たり、心中をしようというカップルが来たりで相変わらず騒がしい。あんまり騒がしいんで、そこに身を投げて死んじゃう。あの話。どうしてかしらね。『あたま山』もあの茶碗も、どちらもブラックホールを連想させるからかしら。あの茶碗の中に身を投げたらすっぽり入っちゃうんじゃないか、って思うからかしら」

ぎくりとした。

『あたま山』。

舞い散る桜の花びらがひらひらと宙を舞うのが見える。

多佳雄は思わずフォークとナイフを握った手を止めた。

そうか、さっきから順一郎に関する記憶にかすかな違和感を感じていたのは、このせいだったのか。

――今年はもう、早々とブランケットを出したよ。

順一郎との最後の夜の記憶を蘇らせようとすると、その背景にはらはらと桜の花びらが舞うことに、どこかで気付いていた。しかし、彼とその夜を過ごしたのは晩秋の、もう師走《しわす》に入ろうかという寒々しい季節だったはずである。なぜ桜の花びらの記憶があるのだろう、と頭の片隅で自分でも知らないうちに疑っていたのだ。

本当に、なんとまあ私と娘の思い付くことは似ていることか。

そうなのだ。あの時、あの茶碗を見て、多佳雄自身も『あたま山』を連想したのだ。

ただし、彼が『あたま山』を連想したのは、ブラックホールを連想したからだけではない。

身投げ。

あの夜、順一郎と多佳雄は、自殺について話をしていた。当時、非常に巧妙に事故にみせかけて自殺し、自分の会社に多額の保険金が下りるようにした男がいた。この男、大変な洒落者《しゃれ》で身だしなみにうるさく、自分で生地《きじ》を選んで作ったスーツは自分で手入れをしてクリーニングに出すほどだった。その彼が、ヘビースモーカーの友人のパーティで着た、お気に入りのスーツをクリーニングに出していなかった。そのことに疑問を持った保険会社の調査員が、気が遠くなるほど地道にコツコツと証拠を集めて、自殺だったということを立証したのである。

――さて、この話の教訓は何だろう？

順一郎の口癖《くちぐせ》だったこの台詞に、あの日二人は何という答を出したのだっけ？

自分の死を予期している者は、無意識のうちにその痕跡を残す。

これがその日の教訓だったような気がする。それは、セットしていない目覚まし時計であったり、しまいこまれた眼鏡《めがね》であったり、いつもより多すぎるペットの餌《えさ》であったり……自分の死を知っている者は、自然とその準備をする。

そんな話をしていた。それから話題は、いちばん効果的な（つまり、簡単で自分にも他人にも迷惑のかからない）自殺手段は何か、という話になった。

やはり毒だろうね、と順一郎は言った。コントロールできる死、自分で自分に与えられる死。有史以来、毒を呷った者、盛られた者は数知れない。彼は、毒を使って自殺した人々、もしくは毒殺されたとされる人々、あるいは毒を使って歴史に名を残した人々の名前をすらすらと暗唱した。クレオパトラやソクラテスに始まり、モーツァルトにナポレオン、ディクスン・カーの『火刑法廷』のモデルとされたブランヴィリエ侯爵夫人、『ボヴァリー夫人』の下敷きとなったのではないかと言われる、十九世紀フランスでのマリー・キャンベルの夫殺し事件、などなど。

彼はすさまじい記憶力を誇る男だった。それは能力というよりも既に性格の一部みたいなもので、とにかくその気がなくても一瞥《いちべつ》しただけで覚えてしまうらしい。日常生活においても、親しい友人の住所や電話番号は諳《そらん》じていたため、「住所録いらず」と呼ばれていたほどである。

――毒というのは不思議だね。他の手段ならば生涯に一度きりの犯罪ということも在り得るけれど、毒というのは必ず反復するね。つまり、一度他人に対して毒を使った者は、必ずまた誰かに毒を盛るね――だから、毒という手段で一度きりの犯罪にするためには、自分に対してしか使うことができないね。そういう意味でも、毒というのは自殺に最もふさわしいかもしれない――おう、もうポットが空《から》だ。

順一郎が持ち上げたポットから、紅茶の葉がぽたり、とカップの底に落ちた。

「あら、そのポット、もう空よ。お代わり頼みましょうか」

夏の凜《りん》とした声に、多佳雄は自分がコーヒーポットを持ってぼんやりしていたのに気付いた。

そういえば、さっきもポットが空なのを確認したはずなのに――いやはや、さっきから料理にも上《うわ》の空《そら》だ。多佳雄は大きくため息をついた。

「うん、頼む」

「なんか今日のお父さん、ヘンね。どうしたの、さっきからぼんやりして」

夏はけげんそうな顔をしながらギャルソンを呼んだ。

多佳雄は頭をかきながらうつむく。

ふと、カップの底に、コーヒーの輪だけが残っているのが目に入った。

――おう、もうポットが空だ。

ポットを持ち上げる、神経質な細い指先。黄色い花柄のポット。

多佳雄はまじまじとカップの底を見つめた。

――おう、もうポットが空だ。

忘れる。

その言葉が頭の中に大きく太い活字となって浮かんだ。

ポットにもう紅茶が入っていないことを、忘れる。

順一郎は、忘れない。彼は自分が使ったマッチの本数まできちんと覚えている男なのだ。米櫃《こめびつ》に残った米粒の数まで覚えてるんじゃないか、と揶揄《やゆ》されるほどだった。

忘れるはずがない。多佳雄の知っている順一郎ならば。

しかし、あの夜。彼は何度も空のポットを持ち上げていた。カップの底には点々と、でがらしの紅茶の葉が落ちていた。

彼は忘れていたのだ。自分がもう紅茶を飲んでしまっていたことを。

――例えばだ、君は私が全く記憶をなくしていたら、私のことを友人だと思うかね？

忘れていたのだ、彼は。少なくとも、記憶力が落ちていた。それも、ほんの少し前にしたことを忘れるほどに。

アルツハイマー。

もし、彼が、自分の記憶力が急速に落ちつつあることに気付いていたとしたら？

自殺。

――やっぱり、毒だろうね。

ぱさりと机の上に落ちた髪の毛。

年寄りのささやかな感傷。毒を呷った人々。ナポレオンの毛髪には、通常の人間の致死量の十数倍もの砒素が含まれていた。自分の死を予期する者は、必ずその痕跡を残す。

砒素。

砒素《ひそ》中毒の症状とはどういったものだったか？　砒素は少量の服用では死なない。毎日少しずつ服用すると、体内に蓄積され、だんだん疲れやすくなり、死に至る。それは自然死に見えることもある。顔は透き通るように青白くなってくる。症状が進むと、肝臓に障害が起こる。一方、神経症状が現われ、指先に知覚の欠落が出ることもある――

かちゃかちゃと震えるカップの音。

いつも彼は紅茶を飲んでいた。多佳雄はいつもウイスキーを飲んでいた。

いや違う、彼は自分の家には酒を飲む人間しか招待しなかったのだ。多佳雄はお茶も好きだが、酒を飲んでいる時は一切《いっさい》他のものは飲まない。

ゆっくりと時間をかけて紅茶を飲む彼。ノリタケのポットとカップは自分で丁寧に洗い、戸棚にはしっかり鍵をかけ、他人には決して使わせない――

あのポットに砒素が入っていたのだろうか？

多佳雄は愕然《がくぜん》とした。

静かな部屋の中で、四方山《よもやま》話をしながら幸福そうな表情で紅茶を何杯も飲んでいた順一郎。いつも穏《おだ》やかな、冷徹な深い瞳で語り続ける順一郎――

――我々は、毎日少しずつ死んでいっているんだからね。

文字通り、自分は目の前で一人の男が自ら死んでゆくのを知らないうちに見守っていたのだ。

それを、今ごろ。十年近くたってから気付くとは。

「お父さん、コーヒー入ってるわよ」

娘の声にはっとした。

目の前のカップに、湯気をたてる黒い液体が満たされていた。その黒い鏡に自分の顔が映っている。そこにも小さな暗黒があった。

外に出ると、人通りの少なくなった大通りを、そっけなく車が行き来していた。

ひんやりとした空気に、ワインで火照《ほて》っていた身体がかすかに身震いする。

今日はいい天気だった。

多佳雄はひょいと空を見上げた。漆黒《しっこく》の空。こんな明るい銀座《ぎんざ》の街角で、星が見えるはずもない。

――きょうは、ようへんてんもくのよるだ。

あの時、順一郎はどんな気持ちであの言葉を発したのか。

自分という容れものの中で、自分にも止めることのできないスピードで変わっていく精神。記憶がどんどん欠落していくという恐怖は、彼にとっては自分が違う生き物になっていってしまうように思えたのだろうか。

最後に窯を開けてみて、美しい茶碗が出てくるか、割れた土くれが出てくるかは、誰にもわからない――

彼は奇跡を期待していたのだろうか？　それとも絶望していたのだろうか？

「車を拾いましょうか」

夏が訊《き》いた。

「いや、もう少し歩きたい」

多佳雄は手を上げて、ゆったりとした足取りで歩き始める。

顔を見合わせ、妻と娘が彼の後ろでおしゃべりを始める。

自分の妄想かも知れぬ、と多佳雄は思った。

調べれば済むことだ。まだ彼の引き出しの中には、順一郎の最後の手紙と髪の毛が残っているはずである。あれを鑑識に持っていけば——

彼は無意識のうちに首を左右に振っていた。自分がそんなことをしないということをよく知っていた。

自分はどうするだろうか。自分が自分でなくなっていってしまうと知った時、どんな選択をするのだろうか。

——毒を一度他人に使った者は、必ずもう一度誰かに使うね。毒は反復する。

毒の誘惑。一番効果的な。

多佳雄はふと顔を上げて、いくつもの色鮮やかな銀座のネオンを見つめた。

私は使わない。最後まで自分自身だ。どんなに変貌しようとも、家族すら見分けられなくなったとしても、私であることに変わりはない。そして、私の精神が燃えつきてしまっても、最後の最後まで私という窯の中に、生命という核だけは燃え続けるのだ。

信号が赤になっていた。

立ち止まった多佳雄は、もう一度空を見上げた。

相変わらず、こうこうと点《とも》る電飾の群れが空を侵《おか》している。

しかし、その奥には、無限の暗黒が広がっているのだった。ふと、彼は自分がまだあの美術館にいて、ガラスケースの中の茶碗を見下ろしているような錯覚を覚えた。

まさに、今日は曜変天目の夜であったのだ、と彼は心の中でつぶやいた。

信号が変わり、後ろの二人に促《うなが》されると、彼は再び前を向いて歩きだした。

新・D坂の殺人事件

今日も渋谷《しぶや》の駅前は、毒々しいようでいて驚くほど均一な色彩の若者でいっぱいだ。

D坂への入口は、季節の折々に、企業と市場の思惑《おもわく》に、次々と浮気に仮面を付け替えてゆくファッションビルの広場になっている。人待ち顔、営業の顔、暇潰《ひまつぶ》しの顔とさまざまな表情——だがそれでいて兄弟ではないかと思うほど似ている顔の群れ。

俺は違う人とは違うあいつとは違う。

あたしを見てあたしの方が可愛いあの子より可愛い。

俺にやらせろ・あたしを選んで・みんなの中から・僕だけに奇跡を・あたしだけに幸運を。

どの目もそう言っている。だからこそ皆同じ顔に見えるのだ。

その若者たちの間を、黒衣《くろご》のように無表情に通り過ぎてゆくサラリーマンたち。今そこを行く男もそのうちの一人であるはずだ——が、同年配の彼等と違うところは、彼がキョロキョロと周囲の人間や街の風景を興味深く観察している点であろう。

一瞥《いちべつ》したところ、雑誌のライター、もしくはレコード会社のプロデューサー、そんな職業だろうか。幅の狭い黒の帽子を目深《まぶか》にかぶり、長めの黒髪を肩に流している。計算された風にくたびれた安くはなさそうなコットンパンツ、黒のてれんとしたニット、グリーンのコーデュロイジャケット。無精髭《ぶしょうひげ》が伸びているものの、汚らしい感じはしない。よく見ると小動物のようにキラキラした、人懐っこい目のせいかもしれない。歩き方はどこかを目指しているものではない。彼はあくまで飄々《ひょうひょう》と、早くも遅くもないスピードで街を徘徊《はいかい》している様子である。

それにしても、と男は思う。東京という街、それも渋谷という街は平日なのにどうしてこんなに人が溢《あふ》れているのだろう。こんなに平均年齢の低い商業都市は世界広しといえどもこの街ぐらいではないだろうか。最近では昼間から制服を着た少女たちが堂々と繁華街を練《ね》り歩いている。今や高校生であることを『売り』にしている彼女たちが、学校を卒業した時に何を『売り』にするのか見てみたいところだ。その一方で、このボロボロの肌と漂白した枝毛だらけの髪にそそられる（らしい）中年男たちの心理も興味深い。

批判するな。腹を立てるな。眉をひそめるな。見下すな。批判は心身を緊張させ、軽蔑《けいべつ》は感情を摩耗《まもう》させる。この猛スピードで疾走する大都市の中で自分を擦《す》り切れさせないためには、全《すべ》てをそのまま受け入れることが大切だ。しかも、ただ受け入れるだけでは駄目なのだ。ほんの少し舐《な》めたり齧《かじ》ったり、撫《な》でたりさすったりしてみなくては。好奇心を失った瞬間から人は少しずつ死んでいく。目の前の現実を自分と無縁のものだと決めた瞬間から、受け入れた現実はザルのように抜け落ちていく。

時計の針はまもなく夜の七時を指そうとしていた。男はD坂の入口の広場に立ち止まり、あたかも待ち合わせをしているかのような表情で煙草《たばこ》に火を点《つ》けた。週末の夜とあって辺《あた》りはひどい渋滞だ。なかなか車が流れずに運転手たちもイライラしているらしく、ヒステリックなクラクションがそこここで鳴り、連鎖反応のごとく信号付近で重なりあう。

思い思いに広場に集う人々。それぞれの事情。それぞれの待ち人。

広場の片側では新製品の健康飲料の試飲会が行なわれており、白いテントの前を行き来する、お揃いのパーカを着た娘たちが、マイクを片手に小さな紙コップを配っていた。人込みに対抗すべく、アンプのボリュームもめいっぱい上がっているらしいが、美女たちの声の輪郭《りんかく》が割れてしまって逆効果である。それとも、この声は疲労のためだろうか。

「——三日間連続でおおくりいたしておりますこのキャンペーン、ぜひクイズに答えて豪華景品をゲットしてくださーい。景品はまだまだたくさん用意してありますよー。えー、次の問題でーす。この度《たび》オオサキ飲料より発売されました全く新しい健康飲料の名前、この名前の元になった昔から日本でもよく利用されてきた植物の名前を当ててくださーい、はい、そちらのカップルの方どうですかー。どうぞ、こちらへー」

携帯電話を耳にした若者たちがぞろぞろと広場を歩き回り、人波が割れた。

その時、突然一人の人物が視界の中にくっきりと入ってきた。

それはあまりにも唐突だった。なぜ今まで気付かなかったのだろう。

老人だった。少なくとも顔の皺《しわ》を見た限りは。が、上背《うわぜい》があり、肩幅も広く、がっちりとした身体をぴしりとツイードのスーツに包んでいた。この年代には時々とんでもない洒落者《しゃれ》がいるが、どうやらその一人らしい。まん丸の眼鏡がそれに良く似合っている。

男は煙草を吸いながら、じっくりと観察した。

老人は、三叉路《さんさろ》の二本の道路に挟まれた銀色のファッションビルを無表情に見上げていた。

何を見ているのだろう？

つられて上を見上げるが、宇宙船のような壁には、メガヒットを約束された若い女性歌手のニューアルバムの宣伝の垂《た》れ幕があるだけで、何もない。自分でも気付かぬうちに、彼は老人に近付きこう囁《ささや》いていた。

「何をご覧になっているんですか？」

老人は話しかけられたことに驚く様子もなく、上を見上げたままである。

男は老人の隣に並んで一緒に上を見上げた。

「――堕天使《だてんし》を」

「え？」

そう聞き直した瞬間、どさりと何かが落ちる音が（確かに何かが落下した音に聞こえたのだ）彼の声を遮《さえぎ》った。

広場の人だかりが硬直し、サッと割れた。

そこには、コートを着た茶色い長髪の若い男が、変にねじれた格好で倒れていた。

それはひどく場違いな、異質なものに見えた。

「やだ」

「何?」

「病人?」

「ウソ、死んでる」

「えーっ、うっそー」

「死んでるよォ」

たちまち混乱と悲鳴(と興奮?)が辺りを覆った。

男は呆然《ぼうぜん》として隣の老人を見た。依然として、老人はビルの壁と倒れている男とを交互に平然と観察している。まるで、空からその死体が降ってきたとでも言わんばかりに。

「——なるほど、これはD坂の殺人事件というわけですね」

坂の途中に、それが一軒の店だと気付かず数歩で通り過ぎてしまうような、間口の狭い喫茶店があった。

男は向かいに座っている老人に、小さく呟いた。

テーブルの上には古い文庫本が置いてある。

赤いタイトル文字。江戸川乱歩《えどがわらんぽ》、『D坂の殺人事件』。ガラス張りのドアの向こうの長方形の空間に、次々と切り取られていく通行人を見ていると目が回る。

隣のテーブル席では、何かのキャッチセールスらしく、二人のぼんやりした少女を前に若い男がやたら調子良くぺらぺらとまくしたてていた。

老人は小さく苦笑した。

「本家のD坂とはえらい違いだがね。あの当時のD坂は東京でも寂しい場所だったらしいからな。まあ、現代のD坂は最も当世風な場所ということで、乱歩先生には許していただこう」

男と老人はテーブルに並べた新聞を前にコーヒーを飲んでいた。今日も老人は霜降《しもふ》りのダークグレーの三つ揃いで決めている。体格のいい現代の若者でも、こうは着こなせまい。

渋谷駅前で若い男の変死

男は朝刊の片隅に載《の》っている記事をチラリと見た。第一報なので、情報は少ない。

そう、あの男は死体として現われるまで、誰の注意も引いていなかった。死体はドサリという音と共に、突然その場所に現われた。直接の死因は心臓麻痺《まひ》のようだが、おかしなことに、全身のあちこちに細かい骨折がみられたのである。これから司法解剖に付され、詳しい死因を調べるらしい。

若い男の死体が見つかったあと、現場にいた四十人近くの人々――あれだけごった返して出入りの激しい場所であるだけに、いったいその瞬間にどれだけの人間がその場にいたものか誰も正確に把握できなかったが――が証言を行なった。もちろん、その中には今ここでテーブルを挟んでいる二人も含まれている。


その時まであんな男が近くにいたなんて気付かなかった。

ドサリという何か重たいものが落ちる音がして振り向いたら、あの男がおかしな格好で倒れていた。

ううん、全然。あの時まで見たことなかった。

特に注目はしてなかったから――ふらっと視界の隅に入ってきたけど、気には留めなかった。誰かと一緒にいた様子もなかったと思う。

大きな音に振り向いたら倒れてた。

なんか、突然いたってカンジ？

特徴ない顔だしィ。あんなの、いくらでもいるよね、あのへん。

男は頬杖《ほおづえ》をつき、とんとんと指先で新聞を叩いた。

それにしても、奇妙な話ではないか。あたかも、あの大勢の人間がいた場所で、空から落下してきたかのような状況の死であったのに、誰も目撃した者がいない。

「あの時、あなたは何て言ったんです？　僕には『堕天使を』と聞こえたんですが。あなたには彼が落下するのが見えたんですか？」

男は慎重に質問を試みた。男も老人と一緒に証言したが、老人が上を見上げて呟いたことは話さなかった。その時に、老人が元判事だったということを知った。老人がこの降って湧いた奇妙な事件について何か知っているのではないかと疑っていたものの、その落ち着き払った貫禄《かんろく》を目の前にしては、正面から質問をするのはなんとなく気後れした。

老人は男の質問をかわすように視線をそらすと、何食わぬ顔で口を開いた。

「江戸川乱歩の『D坂の殺人事件』では、明智小五郎《あけちこごろう》はあの有名な格子《こうし》窓のトリックが披露《ひろう》されたあとで、外国の文献を引き合いに出して、いかに目撃者の証言が当てにならないかという説明をしてみせるね。私はどうにもあの箇所が納得いかない。あの部分を読んで、明智にはぐらかされたという感想を持った読者は多いんじゃないかな。私もその一人だが」

老人はおもむろにしおりの挟んであったページを開くと、明智が引用した文献の抜粋を読み始めた。

かつて一つの自動車犯罪があった。法廷において、真実を申し立てるむね宣誓した証人のひとりは、問題の道路は全然乾燥してほこり立っていたと主張し、いまひとりの証人は、雨降りあげくで、道路はぬかるんでいたと証言した。ひとりは、問題の自動車は徐行していたといい、他のひとりは、あのように早く走っている自動車を見たことがないと述《の》べた。また、前者は、その村道には人が二、三人しかいなかったといい、後者は、男や女や子どもの通行人がたくさんあったと陳述した。この両人の証人は、共に尊敬すべき紳士で、事実を曲弁したとて、なんの利益があるはずもない人々だった。

老人は一口コーヒーを啜《すす》ると、男の質問など耳に入らなかったという様子で淡々と話し続ける。男は気を悪くするでもなく、きょとんとした表情で老人の話の行方を見守った。

「もっとも、その説明をしたことによって、そのあとでそば屋の証言が嘘であるという事実を披露する伏線になってもいるがね。つまり、彼は『目撃者は当てにならない』という説明をすることによって、小説の中で登場する三人の目撃者の証言を否定しているんだ。すると、この小説の前半部分が嘘になってしまう。このあたりが非常にアンフェアな印象を与えるんだな。確かに格子窓のトリックは印象的だが、あれが乱歩の初期の代表作とされるのは、私には納得いかんね」

「――あの男はいったいどこから落ちてきたんでしょうね。あんなに人がいっぱいいるところで。あれは事故なんでしょうか。殺人なんでしょうか」

男が何気なくもう一度話を振ってみると、老人はジロリとこちらを見た。

「事故？　馬鹿な。殺人に決まってるだろうが。でなければ、なぜあんなに大勢の人間がいるところに死体が転がるんだ」

「はあ？」

男には逆に思えた。人を殺すなら、無人の場所で凶行に及ぶのが普通ではないか。わざわざ目撃者が山ほどいる場所で人殺しをするなんて正気の沙汰《さた》とは思えない。

「そう。『D坂の殺人事件』の明智の説明は現代にも通用するね。目撃者の証言は当てにならない。逆に言えば、この雑踏《ざっとう》の中、他人のことを見ている者はほとんどいない。この東京で。この渋谷で。かつての寂しいD坂の数人の目撃者だろうが、現代のD坂の夥《おびただ》しい目撃者だろうが、変わりはない」

老人はほんの少しだけ身を乗り出した。そのかすかな動きだけでも、男は頬《ほお》の辺りにヒヤリとするような威圧感を覚えた。

「でも僕はあなたを見ていましたよ」

男はそう言ってみた。老人は肩をすくめた。

「そりゃそうだろう。私も君を見てたからね」

「えっ、そうなんですか」

「君も私と同じように街を回遊していたからね——同じ目的の者は目に入る。この人は自分と同じところに行くんじゃないかと感じた人物は、他にたくさんの人が歩いていても徐々に浮き上がってきて見えるだろう。これだけさまざまな目的を持った人間が一堂に会していても、しょせん自分の目的のものしか見えない。これも現代の格子窓だと思わないかね？」

「そうですね——同じ街を歩いていても、年齢や職業や趣味が違えば、見ているところ、歩くところも全く違うでしょうし」

男は頷いた。突然老人が尋ねる。

「君はあの死体を見てどう思ったね？」

「どうって——」

男は当惑した。あの歪《ゆが》んだ身体、どす黒いやけにカサカサした顔、どろりとした黄色い目が脳《のう》裏《り》に浮かんだ。あの異質さ、奇妙さ。

「僕は、やけに違和感を覚えましたね。普段見ることのないものを見たせいですかね。そのくせ映像では血まみれの量産された死体を見慣れてますから、かえって嘘くさいというか、あっけないというか」

「嘘くさい、か」

「どう感じるのが正しいんですか」

「正しいというのは語弊《ごへい》があるがね。死体が見られなくなったのなんて、ほんの最近のことだよ。世界で競いあって未曾有《みぞう》の大量殺人を行なったのだって、たったの五十年前だ。そもそも古くから、死体というのは人に見せるためにあったものだからね」

「見せる？」

「そうだろ。ヨーロッパでも、中国でも、日本でも。死体は人目に晒《さら》すために使われていた。どこでも死刑はショーだったからね。自分はまだ生きているということを確認するために。はかない生を実感するために。昨日まで言葉を交わしていた人間がすぐそこに横たわっているというのは非常に効果的だったと思うね――民衆を押さえ付けたい為政者《いせいしゃ》や、宗教を説《と》く聖人や、薬を売る商人にとっては。でも、極端に死体の隠されている現代は、もしかすると今までで一番効果的に民衆に恐怖を与えているかもしれないな。死は未知であり、不条理であり、敗北である。どうやらそれはとても恐ろしいものらしい。その恐ろしさを宣伝することによって、実にさまざまな商売が成り立っている――そして、死体を見たことのない君達やその下の世代が、実体験の代わりに、映像の中に大量の死体を積み上げているというわけだ。人間という生き物は絶望的だな」

話の内容はものものしいが、その口調は飄々としていて、男はだんだんこの老人に好感を持ち始めていた。真面目《まじめ》くさった表情の奥に、どことなくユーモラスなものを感じるのである。この人は、どうやらこの状況を楽しんでいるらしい。

老人はすっくと席を立った。ただでさえ上背の高い男なのに、ますます大きく見えて、男はどぎまぎした。

「どこへ行くんです？」

「現場百遍《ひゃっぺん》というからな。あの広場へもう一度行ってみよう」

相変わらず広場はごった返していた。つい二十時間ほど前に死体が転がっていたことを思い出す者などもう誰もいないようだ。

死んでいた男は、センター街の奥にあるテレクラの従業員だったらしい。特徴のない、通り過ぎた瞬間に顔を忘れてしまいそうな男。

昨日の健康飲料のキャンペーンはまだ続いていた。美女たちはプロ意識を発揮し、片時《かたとき》も笑みを絶やさない。周囲を行き交う人々の無表情さから、その笑みが不自然に浮き上がって見える。

「ふうん」

老人は、あの時のように銀色のビルを見上げると呟《つぶや》いた。

「何か?」

「このビルは氷山に似ているね」

「はあ?」

「そう思わないかい」

「言われてみれば、そうですね」

川の中洲《なかす》の先端にある格好のそのビルは、確かに黒いアスファルトの海に浮かぶ氷山に見えなくもなかった。

「タイタニック号が沈む時、物凄《ものすご》い大きさの渦ができて、船体はほとんど海に垂直に沈んでいったらしいですね」

ふと、氷山から連想して、男は呟いた。最近やっと公開が決まった、制作が難航していると伝えられていたタイタニック号の沈没を描いた映画の予告編を思い出した。垂直に切り立った巨大な甲板《かんぱん》から、水面に向かってどんどん墜落していく乗客たち。昨日ここで見た死体の顔が浮かんでくる。どこから落ちたのだろう、あの男は。空から？　ビルの上から？　まさか、飛行機から？

「氷山は海面に一割しか姿を見せない。いやはや、人買いというのはいつの世も同じ目をしているもんだな。ああやって女の子を物色している男たちの後ろには、深い暗黒の世界が広がっているというわけだ」

老人が呟いた。

男も目を走らせる。そこここで、鋭い目で少女たちを値踏みしている若い男。一目でこれと決めた娘たちに、素早く笑顔で走り寄っていく。ここで死んでいた男も、こういう男たちの一人だったのだろう。

「あの男――間違いなく重度の覚醒剤中毒だったな」

老人がぽつりと呟いた。男は驚いて老人の顔を見た。

「昨日の死体がですか？」

「うむ。覚醒剤中毒が進むと骨がスカスカになる。心臓にもかなりの負担がかかる」

「骨がスカスカに――」

ふっと背筋が寒くなった。たくさんの細かい骨折。

「リンチだな。クスリのトラブルか、商売のトラブルかは分からないがかなり痛めつけられたに違いない。健康な若い男ならともかく、覚醒剤中毒が進んでいた身体には応《こた》えただろう。痛めつけた方も、この程度なら大丈夫だと思っていたんじゃないだろうか」

老人はポケットからキャンデーを取り出した。前を見たまま、男にも勧《すす》める。男は首だけ突き出して小さく会釈をして受け取った。

二人でキャンデーの包み紙を開ける。

「瀕死《ひんし》の状態になって慌てて男を車で運ぶ。病院へ運ぶつもりだったのか、どこかへ処分しにいくつもりだったのかは分からないが。だが、例によって渋谷は大渋滞。昨日は週末で月末、しかも五十日《ごとおび》。全然車は進まない。瀕死の男はすきを見て車を飛び出す。もしかすると、その時もクスリをやっていたのかもしれない。朦朧《もうろう》として彼は雑踏の中を進む」

真面目くさった顔でキャンデーを口に放り込みながら老人は話を続けた。

「週末の人込み。彼は広場を突っ切って信号を渡ろうとする」

ふと、男の目の前に昨夜の雑踏が蘇《よみがえ》ったような気がした。夜のネオン。華《はな》やいだ興奮。

「ところがそこも大勢の人。おまけに広場の半分は健康飲料のキャンペーンで使われていて残り半分に人が溜《た》まっていた。そして、おりしも時刻は夜の七時を迎えようとしている」

老人は男を見た。男も老人を見る。

「あの時、何が起きたか覚えてるかな？」

「何が起きたか？　何か起きましたっけ？」

男はぽかんとした顔で尋ねた。

「広場の周《まわ》りにいた人が、一斉に携帯電話を耳に当てて移動を始めたのさ。キャンペーンガールの声がうるさかったんで、みんながスピーカーから離れた位置、電話の声が聞きやすい位置に無意識のうちに移動したんだ。しかも、ちょうど七時だからね。待ち合わせの時間さ。連絡を取り合う人たちがどっと電話を掛けた。一斉に大量の電波が行き交う狭い広場の中心を、瀕死の男が通り抜けようとしたわけさ」

「まさか、そんな」

「確かに私の想像さ。でも、ないとは言えんだろ。まだ電波と人体の因果関係については何も分かってないんだから。だが、少なくとも、飛行機の計器や、人体に埋め込んだペースメーカーや医療器具に影響を及ぼすことは知られている。電話を掛けてる人間にとってはどうでもいいんだろうな。電車であんなに車内放送を流しても、隣にどんな事情のある人が座っている可能性があるかこれっぽっちも考えずに、これみよがしに電話してる連中は山ほどいるからな。お分かりだろう、あれは殺人事件だったんだよ。広場にいるみんなで殺したのさ」

「殺人事件」

「渋滞だってそうだ――例《たと》えば、昨夜私がここで倒れていたとしても助かる確率は低かっただろうね。まず救急車がここまでたどり着くのに時間がかかる。更《さら》に病院まで運ぶのにもっと時間がかかるね。渋滞や違法駐車のせいで、救急車が路地に入れずに手当てが間に合わなかったという話を聞いたことがあるだろう？　ここで災害なんか起きたらどうなる？　大量の車両が全てただの障害物となってみんなの命を奪うのさ。火災でも起きれば、障害物の中にある大量のガソリンが薪《まき》代わりになって、更に被害を大きくするかもしれない。本家のＤ坂ではマニアックな個人的欲望が人を殺してしまったが、現代の我々は、更に利己的な欲望と無関心とで間接的に人を殺し続けているというわけだ」


「ねえ、関根《せきね》さん」

氷山のようなビルを背にして歩き始めながら、男は関根と名乗った隣の老人に話しかけた。男は知り合ったばかりのこの老人と、食事に出かけるつもりだった。好奇心を失い始めると、人間は少しずつ死んでいく。この老人ときたら、どうだ。好奇心の塊《かたまり》みたいではないか。

「なんだ」

老人は相変わらずムスッとした表情で歩いて行く。

「あの時、関根さんは何て言ったんですか？　僕には『堕天使』と聞こえたんですけど。あまりにもあの状況にぴったりだったんで驚いたんですが――それとも、別の言葉を単に僕が聞きまちがえたんですかね」

老人はチラリと男を振り返った。

「確かに私は『堕天使』と言ったよ。でも、別にあんなところに死体が転がってるのを予想してたわけじゃない。私は見たものを口に出しただけだ」

「見たもの？」

老人は後ろを振り返って顎《あご》で示した。男もつられてそちらを見る。

銀色のビルに、黒ずくめの服装の、女性ポップ歌手の巨大な写真が躍《おど》っている。

そこに書かれたニューアルバムのタイトルが目に留まった。

LUCIFER（ルシフェル）

給水塔

「ほら、あれがその『人喰《ひとく》い給水塔』ですよ」

隣の男がのんびりと指差す方向を、関根多佳雄《せきねたかお》は見上げた。

かすかに上り坂でやや曲がりながら延びてゆく白っぽい道の先に、給水塔が見えた。

「ふうん、そう言われてみると、確かに何やら妖気の漂《ただよ》う建物ですな」

「でしょう」

二人はのろのろと道を歩いてゆく。

何か特別な用があるわけでもない。二人は散歩仲間である。関根多佳雄は悠々自適《ゆうゆうじてき》の老人であるが、時枝満《ときえだみつる》は何やら素性《すじよう》の分からない若い男だ。育ちは良さそうなのだが、どこか無国籍な雰囲気を漂わせている。いつもニコニコ笑っているが、会う度《たび》違う名刺を持っている。雑誌記者だったり、レストランのマネージャーだったり、損害保険の代理店だったり。そのことを指摘すると、彼は重大な秘密を打ち明けるかのように、「僕は散歩男が本業なんです」と小声で囁《ささや》いた。まんざら嘘《うそ》でもないのではないか、と多佳雄は思っている。

普段《ふだん》はまったく接点がなく、たいして親しいわけではないのだが、時々思い出したように満から「関根さん、今日は十一時に御茶《おちゃ》ノ水《みず》駅で待ち合わせましょう」というような電話がかかってくる。それは必ず平日の曇《くも》った日の昼間である。多佳雄の予定が空《あ》いていれば、二人は待ち合わせてのろのろと他愛もない話をしながら何時間もひたすら歩く。満の頭の中にはびっしりと東京の地図が入っているらしく、彼の歩きにはまったくためらいがない。一体どんな人生を送ってきたのか、満は若いのに博学で話し上手、聞き上手であった。しかも、一緒にいて疲れないという最大の美点を持っており、散歩の連れには絶好であった。あくまでも「うだうだと歩く」のが目的であるので、二人は人込みのない私鉄沿線の駅からスタートするのを好んだ。腹が減れば途中の定食屋に入り、疲れれば喫茶店で休み、夕方は一杯飲み屋で軽く飲んで、早い時間に別れるのが常であった。知り合ってからかなりになるのに、多佳雄は彼と別れる度に、まだ自分が彼の年齢や住所さえ知らないのに気付くのだった。

その日、彼は都営A線のN駅で待ち合わせた。昼過ぎの人気《ひとけ》のない、眠たげな地下ホームから地上に上がると、逆光の光の中にいつものように満が立っていた。

「今日は、ちょっと面白いものを関根さんにお見せしようと思いましてね」

いつも笑《え》みを絶やさない男ではあるが、今日の満はチェシャ猫のごとく楽しそうに笑っている。あらためて、不思議な男だ、と思った。

駅前は大きな幹線道路で、せわしなく車が走っており、辺《あた》りはがらんとしていた。大きなスーパーとファミリーレストランが道路沿いにぽつんぽつんとあるだけで、人通りは少ない。満は駅前の狭い、小さな店がごちゃごちゃした町を好んで選ぶことが多かったので、多佳雄は意外に思った。

しかし、満に続いて信号を渡り、幹線道路から一歩中に入ると、白昼夢のような静かな住宅街が広がっていた。人影もまばらである。

人間が密集しているはずの東京にも、空白の場所はいくらでもある。彼の友人で、原宿《はらじゅく》に住んでいる男がいる。海外生活の長かった男で、フランス人の細君《さいくん》と外国人仕様のアパルトマンに住んでいるのだが、これが竹下《たけした》通りからたった一本入っただけの場所にあるのだ。その場所というのが、ほんの一分前までけたたましくけばけばしい竹下通りを歩いていたのが信じられないほど、ひっそりとしているのである。「竹下通りを目指してくるような人たちは、絶対に群れている。群れて歩く人たちは、ガイドブックを抱えて町を歩くから、ガイドブックに載《の》っていない道なんて絶対に歩きやしない。ここまで入ってくるのは一人で散歩を楽しめるようなタイプの人だけだね」。彼はそう言うのだ。

確かに、巷《ちまた》には地図が溢《あふ》れている。裏道、抜け道、秘密の隠れ家。よく考えてみると矛盾《むじゅん》しているのだが、そんな題名を付けた地図まである。しかし、地図を広げる度に、多佳雄はその地図の外側が気になる。誰も知らない空白の場所があるのではないか。我々はだまされているのではないか。これだけたくさんの地図があるというのは、実は地図に頼らせるための目眩《めくら》ましで、故意に描《か》かれない場所があるのではないか。東京というのはそんなところがある。ふんだんに情報を与えていると見せかけて、その奥にひっそりと無言で大きな昏《くら》いものが潜《ひそ》んでいる、というようなところが。

「東京って、パノラマ島のようですね」

いつだったか、満が言ったことがある。無論、江戸川乱歩《えどがわらんぽ》の『パノラマ島奇談』のことを言っているのだ。

「何枚もの絵を重ねるように、重層的な世界が狭い空間の中に広がっている。次の絵に入ってしまえば、前の風景は消え去ってしまう。東京って、連続しているんだけれども、断続的なんですよ。マイカーの普及で随分《ずいぶん》変わったとは思うけれど、相変わらず『駅』を出発点としたイメージが強いでしょう。駅を出たところから方向や場所を把握《はあく》していることが多い。だから、町のほうでも駅に顔を向けた作りになる。それで、こうして散歩しながら線の上を移動していくと、どうも舞台裏から近寄っていくような後ろめたい気分になる。僕ね、大きな町に近付くと明らかに『ああ、今場面転換したな』という感じがするんです。ここからは新宿《しんじゅく》の場面、ここからは永田町《ながたちょう》の場面、ってなふうに。ちょっと前の銀座《ぎんざ》線って、次の駅が近付くと一瞬電気が切れて暗くなったでしょう。ああいう感じですよね。暗転」

「逆に言うと、町そのものの磁場が強いんじゃないでしょうかねえ。例《たと》えば今、ここまでは新宿の磁場だとすると、その磁場を抜けるのにちょっとエネルギーがいる。次の磁場までの間にエアポケットがある。そういう場所があちこちにある。そして、そんな場所で人がいなくなる。バミューダ・トライアングルのように」

そんな台詞《せりふ》を思い出させるほど、眼の前の風景は妙に平和でリアリティがなかった。白くのっぺらぼうの家々がなだらかな坂の周《まわ》りに並び、誰かがじっと目を閉じてまどろんでいるようなのどかな空気を漂わせていた。

坂の上の方に見えるのは、石造りで三角形の屋根を戴《いただ》いた、古い給水塔である。周囲が新興住宅地であるだけに、それは羊の群れの中の狼のごとく不吉《ふきつ》な存在感があった。

二人はどちらからともなく足を止め、その頭一つ抜けた古い塔を見守った。

「なんとなく怖《こわ》いですね」

「ええ」

満がキャラメルを取り出して口に入れたのを、多佳雄はじっと見つめた。それは、彼が興奮している証拠だということに以前から気付いていた。何がそんなにこの男を興奮させるのだろう。

「水って怖いですよね。水関係の施設とか場所って怖いですよ。井戸とか、沼とか、浄水場とか。早い話が、水のある場所って動かせないじゃないですか。だから、必然的に長い年月同じ場所にとどまることになる。そうなると、やはり怨念《おんねん》とかこもりやすいんでしょうね」

満は、キャラメルの包み紙を几帳面《きちょうめん》に四つに畳《たた》んでポケットに入れると、多佳雄を促《うなが》すようにゆるやかな坂を歩き始めた。徐々に給水塔が近付いてくる。多佳雄は長身を前屈《かが》みに傾けながらゆっくりと口を開いた。

「そうだねえ。水は形がないだけに恐ろしいね。つまらない話だが、家の修理で一番嫌なのは漏水だね。水が漏《も》れているという事実に人間はものすごく恐怖を覚える。水はじわじわと染《し》み込んで物を破壊する。水はいつもすぐそこまで来ている。あの怖さったらないね。大昔から、人類は水を堰《せ》きとめることに多大なエネルギーを費《つい》やしてきたからねえ。今だって大して変わらない。我々の生活だって考えようによっちゃ、毎日せっせと堤防に土嚢《どのう》を積んでるようなものだね。いつでも水はすぐそこにあって、ちょっとでも土嚢を積むのをさぼろうものなら、一挙に堤防は決壊する」

満は「関根さんらしい」と笑顔を見せた。

「僕はね、人間が水を怖がるのは別の理由があるんだと思うんですよ。生命が進化して、生物は水から陸に上がってきましたよね。生命のふるさとは海である。人類が誕生して、陸上生活を始めたものの、一時期水の中に戻った時代があるという説はご存知ですか？　やはり水棲《すいせい》のほうがいろいろと都合《つごう》が良いから戻った。そのために今の人間は肌がつるりとして体毛が少ないんだと。でも、現在こうして僕らは地上にいる。身体《からだ》は水棲の性質のまま、重力も温度変化も過酷な地上で生活している。なぜか？　僕は、急に水から上がったんだと思うんです。外部に適応させる暇《ひま》もないほど突然、ある日人類は水から上がったんだ。きっとね、水から急いで上がらなければならないほど恐ろしいことが水の中で起きたんですよ。だから今でも水が怖い。水に郷愁《きょうしゅう》を覚えつつも恐れている」

目の前に給水塔が迫ってきた。近くで見ると、かなりの高さである。十メートルはあるだろう。急な坂の途中に建っているので、余計高く見える。塔の周りを囲むように、斜面にはよく手入れされた木々が植えられており、低いブロック塀で囲まれている。

窓のない円筒形の塔。年季を感じさせるしっかりした造りの、どこかハイカラな塔だ。

「さて、これのどこが『人喰い』なのか、伺《うかが》いましょうか」

多佳雄はチラリと満の顔に目をやった。

「事の始まりは、ひと月くらい前になります。ある小雨《こさめ》の晩、この坂の途中で、一人の老人が――このもう少し先に住んでいる男なんですが、ここ――そう、僕らが今立っている辺りで車と接触しましてね。転倒して、大怪我《けが》をしたんです。坂を降りてきた車の運転手が言うには、坂の途中で自転車に乗っていた彼が、いきなりハンドルを切って目の前に出てきた。病院に収容されてから、老人はそのことを認めています。どうしてかと訊《き》かれて、彼はこう答えたそうです。

『給水塔に鬼がいた』」

「鬼？」

「ええ、鬼です」

「いた、というのは具体的にどういう意味ですかね」

「その辺が、ちょっと混乱してましてね。何しろ頭を二十針も縫う怪我だったんで、口をきくのも大変だった。ギョロリと目を剝《む》いた鬼が、あそこにいた、と繰り返すばかりで」

「その人は今どこにいるんですか」

「まだ入院中です。すっかり弱っちゃいましてね。ほとんど喋《しゃべ》らないそうです。もう、事故のことを訊いても返事してくれないそうで」

「ふうん」

二人はのろのろとゆるやかな坂を登って、給水塔のたもとまでやってきた。給水塔は独立した区画に建っており、細い道を挟んで、その周りを二階建てのアパートや道路ぎりぎりまで建てた家がぎっしり埋めていた。

「ここは、本当は交差点に当たる場所なんですね」

多佳雄が呟《つぶや》いた。

「ええ。曲がりくねってますけど。反対側の道路が見えにくくて、よく車同士が立ち往生《おうじょう》してますよ」

「魔の交差点というわけですか」

「そうですね。事故のよく起こる交差点というのは、交通量の多い交差点ではなく、こういう普通の住宅街が多いらしいですね。なんとなく安心に見えて、減速しないで走っていくと、出会い頭《がしら》にドカン。または、ちょうどこの場所のようにちょっとずつ道が曲がっていて死角が多いところ。角の家の造りや向き、植木の角度といった小さな要因がほんの少しずつ組み合わさって、事故の起こりやすいところを自然に作っちゃってるんですね」

多佳雄は値踏みするようにぐるりと給水塔の裏側に回ってみた。ブロック塀には蔦《つた》がからまり、長年の雨が染みこんだと見えてどす黒く変色していた。ところどころ欠けた部分に、中の鉄が剝きだしになっているのが見える。塀の建て替えを予告する白いプレートが無造作《むぞうさ》に結《ゆ》わえつけられていた。満は後ろから影のようについてくる。この男は、図体《ずうたい》が大きい割にとても静かに歩く。ふと、疑問が頭をよぎった。彼は自分に、いったい何のゲームを仕掛けているのだろう？

給水塔の裏側は手すりのついた急な石段になっていた。石段の側まで民家が迫っており、急な坂のために、一階部分が給水塔の真ん中辺りになっている。多佳雄はゆっくりと石段を登った。上まで登ると、給水塔の色あせた緑色の屋根が、自分の頭の上ぐらいになった。塀の中の、よく手入れされた芝生が覗《のぞ》きこめた。

どこまでも続いていく家々の屋根の上に、大きな雲の影がゆっくりと動いていくのが見える。ジグソー・パズルのようにびっしりと、感心するほど隙間《すきま》なく色とりどりの屋根が組み合わさっていた。

「いかにも我ら小市民、という感じの眺めだねえ」

多佳雄は呟いた。

「日本人の建築技術にはつくづく感心しますよね。こんなに起伏があって、狭くていびつな形のところにもしっかり家を建てちゃうんだから」

人が通る気配はない。多佳雄と満は石段の途中に腰を下ろした。

「――次は、それから一週間くらい経《た》ってからです。この石段を降りたところで、一人の主婦が石段から落ちて倒れているところを発見されました」

満はそっけなく下を指差した。多佳雄は思わず目をやる。アスファルトの黒い染みが、何か別の染みのように見えてくる。

「その人は」

「早朝の出来事でね。この石段の上のところに住んでいた人で、見つかった時にはもう絶命していました。新聞を取りに出て、ここまで歩いてきて石段から落ちたらしい。今のところ事故ということで片付けられています」

急な石段だ。高さもある。確かにここから落ちたら、命にかかわるだろう。人間の死亡原因というのは、転倒というのがかなりの件数を占《し》める。こうして毎日ひっそりと突然命を落とす人がいるのだ。遺族が怒りや恨《うら》みをどこにも持っていけないような形で。

「まだ、先がありそうだね」

多佳雄は満が差し出したキャラメルを口に入れた。二人とも煙草《たばこ》を吸わない。満に理由を訊いたことがある。満の答はこうだった。「煙草を吸うと、自分がその場所にいたという痕跡を残すでしょう。それが嫌なんです。吸い殻、煙、匂い。どれをとっても、他人に自分の存在を感じ取らせてしまう。それが嫌でね」

もごもごと口を動かしながら、多佳雄は隣で満がキャラメルの包み紙で鶴《つる》を折るのを眺めていた。器用そうな指だ。指先の腹がぷっくりと丸く、ちょっと上に反《そ》っている。最近こういう指をなかなか見ない。特に、若い女性の指先は真《ま》っ平《たいら》だ。針と糸をめったに持たないせいに違いない。もっとも、針と糸を持つ前に長い爪を切らなくてはならないだろうが。

「――それから数日後。近くに住んでいる小学生が学校の帰りにいなくなりました」

完成した鶴を指の腹に載せて出来栄《できば》えをチェックしながら、満は話を続けた。

「本当に、ふっといなくなったんです。三年生の男の子。誘拐かと思って警察と家族が今か今かと電話を待ち構えていたんですが、まったく何の音沙汰《おとさた》もない。それっきり行方不明のまま」

「だんだん怪談めいてきましたね」

「この話を聞くと、もっと怪談めきますよ。その小学生は、失踪する前に、親にこう話をしているんです。彼は、塾の帰りにここを通るらしい。『お母さん、塾の帰りに、給水塔で人魂《ひとだま》を見たよ』」

「今度は人魂ですか」

「ええ。人魂が幾《いく》つか、給水塔の屋根の辺りをふわふわ漂っていた。そう言っていたと言うんです。その頃からです。あの給水塔は人を喰う、という噂が流れ出したのは」

「無理もないですな。そんな事件が続いちゃあ」

「この辺が住宅街になる前から住んでいる年寄りが、昔もあの給水塔は人を喰った、なんて言い出したのもありまして。以前はほんとに淋しい、荒涼とした場所だったそうですよ。ますます住民たちが神経質になりましてね。町内会で自発的にこの辺を見回りするようになりました。二週間くらい続いたでしょうか。特に何か起こる気配もない。やっぱり偶然の事故が続いたのか、と言っていた矢先です」

満はちょっと言葉を切った。雲の切れ間から一瞬光がのぞいた。

「これはほんの二、三日前のことです。夜中にまた事故が起きた。この反対側になりますがね。向こうの道路から来た車が、このブロック塀に正面衝突して、塀を突き破った。この運転手は打撲で済んだんですけど、やはりぶつかる前に『鬼のような人が道路に立ちふさがっていた』と言う。またまた大騒ぎになりました」

沈黙が落ちた。どうやら、これで話は最後まで来たらしい。さわさわと石段の上から吹いてくる風が、二人の背中を撫《な》ぜる。三毛猫《みけねこ》がどこからともなく現われ、道をふさいでいる二人を迷惑そうに見上げてから、軽々と石段を降りていった。あの、ぴんと立った猫の尻尾を見ると、ついついポキッと根本から折り取ってコップ掃除をしてみたいという誘惑にかられる。

「かくて、今でもこの給水塔は『人喰い給水塔』という、名誉ある称号を戴いたままになっているわけです。ね、なかなか面白い話でしょう。関根さん向きじゃないかな」

満は両手を広げてみせ、にっこりと笑った。いつもの無邪気な笑顔である。

多佳雄はじいっと満の顔を見つめた。満の笑顔が消え、一瞬真顔になる。

「――この辺りは、さぞかし夜は暗いんだろうね」

多佳雄は前を向き、嚙《か》み締《し》めるように呟いた。

「え？」

満が顔を上げる。

「見渡す限りの住宅街。街灯の明かりだけ。特に、この給水塔なんて真っ暗だろう。窓のない建物だし、人気《ひとけ》はないし」

多佳雄はゆっくりと立ち上がり、給水塔の屋根を見上げた。

「立派な建物じゃないか。外国でも、給水塔の写真ばかり撮《と》ってた男がいたね。本屋で写真集を見たことがある。撮ってみたくなる気持ちは分かるね。知り合いの建築家に、使わなくなった給水塔を改造して住宅にする、という設計をした男がいてね。半《なか》ば冗談で設計したんだが、このプランを実施したいという酔狂な客がけっこういたと聞くよ」

満も立ち上がって、多佳雄に並んだ。多佳雄は呟いた。

「この美しい建物の汚名を晴らしてやろうじゃないか」

「水のある場所は動かせない。なかなかいいヒントだったね。これは私の単なる想像。適当に聞き流してもらって結構。昔は荒涼とした、人気《ひとけ》のない場所だった。こんなにわざわざ家が建ったのなんて、せいぜいここ二十年くらいだろう。昔も『人喰い』があったという話だったね――人がさらわれたり、失踪しても当然のような雰囲気だったのかもしれない。さて、実際に何か事件が起きていたとする。例えば、三人の男が何かの理由で一人の男を殺したとしよう」

満がチラリとこちらを見るのが分かった。多佳雄はかまわず話を続ける。

「さて、死体をどこに埋めようか？　折しも宅地開発の波が押し寄せ、ぽつぽつと家が建ち始めている野原。掘り返されるのはまずい。ふと、目に入る建物がある。移転する可能性が低く、ずっと同じ場所にありそうな建物。公共物だし、人の出入りは少ないし、民間の手が入ることもあるまい。ほとぼりが冷《さ》めた頃にこっそり掘り出すためにも、目標ははっきりしていたほうがいい」

多佳雄は満を振り返った。

「この給水塔のある場所だ。ぴったりじゃないかね？」

多佳雄はゆっくりと石段を降り始めた。満が無言で後ろからついてくる。

「宅地開発の波は思った以上に早かった。埋めた死体を掘り出す間もなく、あれよあれよと家が建っていく。予想通り、給水塔はそのままこの場所に残った。それでも、犯人たちにしてみれば気が気ではない。給水塔の近くに部屋を借りたり、家を買ったりして見守る。そして、ある日、恐れていたものを見つける」

多佳雄はブロック塀に近付くと、プラスチックの白いプレートをぱちんと指で弾《はじ》いた。

「これだよ。塀の建て替え。どんなふうに建て替えるのかは分からないが、今は昔より規定が厳しいから、塀が倒れないように深く掘って鉄筋を入れなければならない。掘り返されたら、彼らの埋めたモノが出てくるかもしれない」

プレートがゆらゆらと揺れている。

「さて、どうするか。工事の始まる前に、埋めた死体を掘り出さなければならない。こんなに民家の密集しているところの塀の内側で。こんな道路の側でザクザク土を掘ったりしたら、通行人に筒抜けだ。しかもここは交差点で、四方から人間が歩いてくる可能性がある。君ならどうするね?」

満はじっと黙っている。

「そう、私なら――」

多佳雄は石段の下に立ち、じっと腕組みをしていたが、やがて手を上げた。

「あれと」

道の角に建っているアパートを指差す。

「あのアパートの二階を借りるね」

もう一つ、別の角にある木造アパートを差した。

「あの二つを借りれば、どの道から人が歩いてきてもいち早く見つけることができる。私の考えた手段はこうだ。夜が更《ふ》けたら、一人が塀の中に忍び込む。見張りの二人は二つの部屋で明かりを消して窓の外の道を見張る。一人はせっせと土を掘る。通行人が通りかかったら、部屋の中の人間は懐中電灯を点《つ》けて、給水塔の壁を一瞬照らす。その光が目に入ったら作業は中止だ。通り過ぎるのを待つ。通り過ぎたらまた合図。再び掘り始める」

沈黙が降りた。

「――人間というのは、二つの物が並んでいると、本能的にそれを目だと思うらしい。ランダムな図形の羅列《られつ》でも、どうしても人間の顔を認識しようとするらしいね。車のヘッドライトが点いていると、人間の目に睨《にら》まれているような気になる。――自転車で怪我をした老人が見た『鬼』というのは、見張りの二人が給水塔というスクリーンに映していた懐中電灯の光だったのさ」

多佳雄の頭の中には、その光景がくっきりと浮かんでいた。

月のない夜。そぼふる雨。傘《かさ》をさして漕《こ》ぐ自転車では、ろくに視界もきかなかったに違いない。ふと顔を上げると、坂の上の給水塔に、般若《はんにゃ》の目がぎらりと見開かれている。彼の驚きはいかばかりだったろう。しかも、給水塔は円筒形をしている。その曲面に丸い光が当たると、それは楕円《だえん》形になるはずだ。それが二つ、たまたま二人とも同時に合図をしたのだろうが、並んでいればますます人間の目のように見えるというものだ。給水塔が高い位置にあり、どこからも見えるというのも災《わざわ》いした。

「念を入れた計画であっても、やはり目撃者はいた。一人が、給水塔の裏手に住んでいた主婦だ。急な坂の上にある家からは、給水塔の敷地の中が覗きこめる。夜中に人がいるところが見えたかもしれない。彼女にその意味が分かっていたかどうかも分からない。近所に住んでいる犯人は、何食わぬ顔で住民の中に紛《まぎ》れこんでいたはずだ。あちこちで世間話や噂話を聞くだろう。朝ジョギングをしたりして、自分たちのしていることが見えた可能性のある家の様子を窺《うかが》うかもしれない。たまたま彼女が新聞を取りに出てきて挨拶《あいさつ》をして、そういえば、昨日夜中に誰かが給水塔のところにいましたわ、なんて不用意に言った瞬間、彼女の運命は決定したのかもしれない」

二人はアスファルトの黒い染みを見つめた。落ちていく瞬間も、彼女にはなぜ自分が突き落とされたのか理解できなかったろう。

「小学生が見たというのも、懐中電灯の光だろうね」

長い年月が経過したあとで、かつて埋めたものを掘り出すというのはかなり労力を要することだ。一晩で済むと思っていた作業は、なかなかはかどらなかった。見張りも大変だし、真っ暗な場所で人目を気にしながら地面を掘るのは相当な重労働のはずである。もしかしたら、埋めたものが見つからず何度も掘り返した可能性もある。作業回数が増えれば、当然目撃される可能性も高くなる。

丸い光がチラチラしていれば、遠目には人魂に見えたかもしれない。人間は光に吸い寄せられる。彼はこっそり光のところへ近付いていった。小柄な子供が静かに近付いていけば、発見されにくかっただろう。彼らは不意をつかれた。そして、彼は彼らにつかまったのだ。

「今度は事故には見せかけられない。仕方なく、彼らはまたしても給水塔の下に彼を埋めた」

二人は再び最初来た道に戻り、真下から給水塔を見上げた。

「しかし、ここで不測の事態が起きた。この給水塔に、『人喰い』という噂が流れて、住民たちの自警団が見回りを始めたのだ」

彼らはさぞかしあせったに違いない。夜も見回りは続く。塀の工事の開始時期が迫る。昔の死体どころか、新しい死体が出てきたら大騒ぎになってしまう。彼らは一計を案じた。

「交通事故を起こしたんだよ。大事なのは、塀を壊すことだった。塀を壊して、瓦礫《がれき》の下の死体を運び出す隙《すき》を作るためにね。鬼を見たと言えば、一連の騒ぎの続きとして見てもらえたんだ」

事故が起きて、警察や周囲の人々が去ってから、野次馬のように見せかけて、壊れた塀の隙間からこっそり死体を運びだしたのに違いない。

「だから、今ようやくこの給水塔は一人きりになれたというわけだ」

今度は多佳雄が手を広げてみせた。

満は腕を組んで俯《うつむ》いた。ふと見ると、肩が震えている。くっくっくっ、という笑い声が漏れている。顔を上げると、そこには面白くてたまらない、という悪戯《いたずら》っぽい笑顔が輝いていた。

「いやあ、さすがは元裁判官だ」

多佳雄はあっけに取られた。よく見ると、この若い男は涙まで流している。

かつがれたのだ。

ようやく笑いが収まると、今度は感嘆の表情が浮かんだ。

「すみません、大笑いしちゃって。馬鹿にしたわけじゃありません。その逆ですよ。すごいですよ、たった一度ここを歩いて説明しただけなのに。よく細かいところまで見てるし、話を聞いている。やはり、職業柄、他人の話を聞いて事件を再構築するのはお手のものですねえ。うーん、すごいすごい。僕なんか、何度もこの辺りを歩いて幾つか解答を考えておいたのに、それよりか、一度で出した関根さんの答のほうがよっぽどビューティフルだ」

満は、顔を紅潮させている。

何度もここを歩いてだと？　そこまで念を入れて悪戯をしかけるとは、なんとまあ悪趣味な男だ。多佳雄はあきれた。

「年寄りをからかうもんじゃないよ。今夜のビールは君の奢《おご》りだね。でもまあ、楽しませてもらったよ。こんな、何の変哲もない風景で、ぞくぞくさせてもらったからね。しかし、さっき君が話したエピソードは全部嘘《うそ》なのかね？」

多佳雄は鼻を鳴らして尋ねた。満は首を振る。

「最初の自転車のおじいさんの話、あれだけは本当です。僕の友人の祖父でしてね。なかなか好奇心をそそる話なんで、あとはぶらぶらと散歩をしているうちに、芋蔓《いもづる》式に思いついたんです。いやあ、失礼しました。この話を考えているうちに、どうしても誰かに試してみたくなって。関根さんを選んだのは正解だったな。こうも見事に見破られるとは」

多佳雄はどうもまだすっきりしない。

満のはしゃぎすぎる様子を見ていると、かえって別の疑惑が頭をもたげてくる。

自分の推理は正しかったのではないか、と。

満の話はどれも本当で、彼も自分と同じ結論に達したのではないか。しかし、今の話はすべて状況証拠だ。いや、状況証拠にすらなっていないただの憶測である。二人が真実を悟《さと》っていたとしても、それを立証する術《すべ》はないのだ。すでに、給水塔には誰も埋められていない。死体なき殺人の立証が難しいのは誰でも知っている。下手《へた》な疑惑を残すより、自分の空想として片付けるほうが得策だと彼は考えたのかもしれない。

「いやはや、お粗末さまでした。僕も勉強になりましたよ。じゃあ、そろそろ帰りましょうか。今日はどこにしましょう。このまま新橋《しんばし》まで出て、烏森口《からすもりぐち》で一杯やりましょうか」

満は駅に向かって歩き出そうとしたが、多佳雄は動かなかった。

「一つだけ頼みがあるんだが」

満はきょとんとした。

「なんでしょう？」

「給水塔の反対側をぐるりと回ってみたいんだけどね」

一瞬、二人の目が合った。ほんのわずかな間、緊張が走る。

無表情になった満の目が光り、チェシャ猫のような笑みがニタリと浮かんだ。

「なるほど。疑ってるわけですね、僕の空想だというのを」

「いやいや、そんなつもりはないよ。二度と来ることもないだろうからね、ゆっくりこの美しい建物を見ておきたいだけさ」

多佳雄はゆったりと笑ってみせる。

「いいですよ。お供《とも》しましょう」

二人は、さっき往復したのとは反対方向に歩き始めた。彼の話が作り話であるのならば、どこも塀が壊れていないはずだ。もし、塀が壊れていたら――

その時はどうしようか。

二人はやけにゆっくりゆっくり歩いていた。満が口を開く。

「――こういうのはどうです。本当は何も起こらなかった、というのは？　何一つ起こらなかった。老人は自転車に乗らず、車にも接触せず、給水塔に鬼も見ずに家に着いていたとしたら？――あるところに、この給水塔を見ながら育った少年がいる。彼は古い建物が好きだ。特に給水塔という建物を愛している。幼い頃に愛読した、怪人二十面相の世界につながっているようにも見えるからだ。愛する建物を見ながら暮らす。どんどん家が建つ。趣味の悪い、薄っぺらい、美しくない、長い年月に堪《た》えられそうもない、そんな家がいっぱい建つ。彼の愛する給水塔は、そんな家に埋もれていく。すぐそこまで追い詰められ、老朽《ろうきゅう》化して滅びていこうとしている。彼は、愛する給水塔にふさわしい物語を考える。給水塔の存在を彩《いろど》る、給水塔の存在を意義あるものにする、そんな重々しい物語を」

満はニコッと笑ってみせた。多佳雄はブロック塀から目を離さずに、黙々と歩き続ける。こちら側も、えらく急な坂だ。

「そうだ、これでもいいですよ。本当は、すべて鬼の仕業《しわざ》。老人は確かに鬼を見た。少年は確かに人魂を見て、給水塔に飲み込まれた。やはりこの給水塔は本当に『人喰い』給水塔だった、というのは？　これのほうが隠された犯罪を探すなんて面倒くさいことをやっているよりも、ずっとシンプルでインパクトがありますよね。しかし、現代は、そういうシンプルな真実が生きにくい時代ですねえ。幽霊を見た、怨念があった、というよりも、いや、誰かが誰かを嵌《は》めようとしているんだ、とか、誰かを追い落とすための遠回しの陰謀だ、なんていうほうがリアリティがあるんですね」

平気な顔で話を続ける満に対し、急勾配《こうばい》の坂を登る多佳雄は息を切らしている。ブロック塀は、古くて崩れそうではあるが、まだ壊れた箇所はない。満の話では二、三日前ということだった。いくらなんでも、そんなに早く行政が塀を直せるとは思えない。彼がもっと前の話をしている、という可能性もあるが、あの塀の建て替えを予告するプラスチックのプレートには、確かに最近の日付が入っていた。だから、そんなに前の話ではないはずなのだ。もうすぐ塀を全部建て替えるのなら、もし事故で壊れた箇所があったとしても応急処置だけで済ませておこうというのが普通ではないか。

「どうです、壊れたところは見つかりましたか?」

茶目っ気たっぷりの目で満がこちらを覗きこむ。多佳雄はふん、と鼻を鳴らした。

「別にそんなところを見ているわけじゃないからね。ただ歩いてみたくなっただけさ」

「おやおや。あれれ、一番上に着いてしまいましたよ、関根さん」

「え」

多佳雄が顔を上げると、さっき登った石段が眼の前にあった。いつのまにか半周してしまっていたのである。見覚えのある三毛猫が、石段の途中に座って、『まだいたのか』という目でこちらを見ていた。

ブロック塀には、壊れた跡も、補修した跡も見られなかった。多佳雄は気抜けした。悔《くや》しいような、ホッとしたような、奇妙な気分である。思わず伸びをした。

「ああ、いい記念になったねえ。時枝満という変な男に騙《だま》されたことは一生忘れられない思い出になるだろうなあ」

「結構意地悪ですね、関根さんも」

満は苦笑した。

「さて、一杯行くかね」

「いいですね」

もう一度坂道を降りる。もはや、給水塔に犯罪の影は感じない。ただの古びた石造りの建物。急に退屈な気分になった。

「こっちを行くとどこに出るのかね。やっぱり坂のようだが」

右側に延びる道を覗きこむ。そちらは下り坂だ。

「ああ、向こうは」

言いかけて、満は一瞬言葉を止めた。凍《こお》り付いたような表情をしている。

「どうかしたのかね」

多佳雄が聞くと、満はハッと我に返り、笑顔を見せた。

「なんでもないです。向こうは、何もないですよ。どこにもつながってない。家がずっと続いてるだけで」

満が多佳雄の視線を遮《さえぎ》るようにして、駅の方に行こうとするのが不思議だった。

何があるというのか？　ひょいと満の肩越しに覗いてみても、何もない道路が続いているだけだ。点々と続く電信柱。電信柱に結わえ付けられた立て看板。それだけ。

多佳雄は首をひねりながら駅に向かって歩き始めた。

またいつものように四方山《よもやま》話をしながら道を歩くうちに、さっき満が自分に隠そうとしたものは何だろう、と多佳雄は頭の片隅で考え続けていた。こんなところで、彼が隠さなければならないものというのは何だ？

満は相変わらずニコニコしながら話を続けている。二人は東京の地名の話をしていた。

もう一度、満の肩越しに見えたものを思い出してみよう。

多佳雄は会話を続けながら、さっき見た風景を思い浮かべた。

下り坂の風景。並ぶ電信柱。家、家、家。白い立て看板——

電信柱や家を隠すはずはないし、あの看板か？　なぜ立て看板を隠すのだろうか？

白い立て看板。

ふと、その看板の文字が毛筆書きだったのを思い出した。

毛筆書きの白い立て看板を使うのは——

警察だ。

多佳雄は突然、理解した。

警察の使う立て看板とは、事件の情報提供を求める看板だ。満がその看板を隠さなければならないとすれば、その看板に書かれていた事件とは、たった一つしかない。

小学生の失踪事件だ。

やはり、満の話は嘘ではなかったのだ。

再び、緊張感が背中をはい上がって来るのを感じた。

しかし、ブロック塀には、どこも壊れたところはなかった。だとすると、この話はどうなる？

頭の中でめまぐるしく考えながらも、自分が普通に会話を続けているのが不思議だった。だんだん駅前の幹線道路が近付いてきて、車のせわしない音が、今までの白昼夢から現実に彼を引き戻して行く。

そして、彼はもう一つの解答にたどり着いた。

満の話した四つのエピソード——最後の一つだけが嘘だったとしたらどうだろう？あの交通事故だけが、彼の作り話だった。あとの三つは本当だった。だとしたら？

多佳雄は愕然《がくぜん》とした。

給水塔には、まだ誰かがいるのだ。子供が埋められたままになっているのだ。

多佳雄は思わず後ろを振り向いた。

白い坂の向こうに、黒い塔がそびえていた。周囲から頭一つ抜け、白い羊の群れの中の不吉な狼のように。

「何か？」

満はもうすっかり普段の彼に戻っていた。多佳雄は肩をすくめた。

「別に。給水塔に別れの挨拶《あいさつ》をしたのさ」

「それはそれは」

多佳雄は背中に視線を感じた。あいつが見ている。こちらをじっと見ている。そして、彼は確かに感じたのだ。あいつは今、大声で嗤《わら》っているのだと。

象と耳鳴り

——あたくし、象を見ると耳鳴りがするんです。

博物館の帰りに寄った、喫茶店のカウンターでのことである。

こぢんまりした、古い煉瓦《れんが》造りの店だ。なぜかお客は一人で来ている外国人ばかり。ツイードの三つ揃いのスーツを着た、堂々たる体軀《たいく》の黒人が英字新聞を読んでいるのを見ると、ここがどこなのか分からなくなってくる。

針が思い思いの時刻を指したまま止まっている古い柱時計の群れに覆《おお》われた壁の前で、自身も骨董品《こっとうひん》のような、蝶《ちょう》ネクタイをした老人が実直にコーヒーを淹《い》れている。

——ほう？　それはまた不思議ですな。昔からですか？

関根多佳雄《せきねたかお》の前には、飲みかけのモカ・マタリと小さな染付《そめつけ》の象が置かれていた。

——ええ、もう何十年もです。それも、子供の頃に起きた奇怪な事件以来ですわ。

隣に座った、見知らぬ上品な老婦人は小さく肩をすくめてみせた。

——そいつは聞き捨てなりませんな。もちろんお聞かせいただけるんでしょうね？

多佳雄が眼鏡《めがね》を動かしてみせると、老婦人は小さく頷《うなず》き、ゆったりと話し始めた。

あたくしは七歳でした。身体が弱かった上にひどい人見知りで、うちの中で本ばかり読んでいる子供でした。うちは代々貿易商を営《いとな》んでおりましたので、父はほとんど家に居りませんでしたが、それを済まなく思っていたらしく、当時としては珍しく、年に一度は家族を外国に連れていってくれたものです。家の中は、父の仕事柄、舶来品でいっぱいでした。珍しい鳥の剝製《はくせい》や、いい香りのする小さな木箱や、父が集めた世界中の神様の絵や人形が、廊下や棚を飾っていました。あたくしはいつも、一番たくさん海外のおみやげが置かれている父の書斎に入り浸《びた》っていました。あのエキゾチックな雰囲気は、いつもあたくしに遠い国々を想像させました。幸せな記憶です。

その事件は、父が家族をイギリスに連れていってくれた時に起こりました。イギリスはほとんど印象に残っておりません。霧が深くて、とても寒くて、どんよりと重苦しい空気が全身にまとわりついているという、暗いイメージだけですね。あたくしが、着いてすぐに風邪《かぜ》をひいてしまったせいかもしれません。父が英文のきれいな絵本を買ってくれ、読んで聞かせてくれました。その旅行でマザーグース、という向こうのわらべうたを知ったのを覚えています。つむじ曲がりのメアリさん、と父が歌っていた声が今でも聞こえてまいります。

さて、その日、なぜかあたくしは一人きりでした。家族はどこかへ行ってしまっていて、借りていた家には人影がございませんでした。留守番でもしていたのでしょうか。そのへんの事情は今でも思い出せないのですが、あたくしはソファで本を読んでおりました。

家の中はしんと静まり返っていました。甘いような、埃《ほこり》っぽいような、紙の匂いがしていました。あたくしがページをめくる音だけが部屋に響いていました。

突然、象の鳴き声がしたのです。信じてくれないでしょうね。実際、あとであたくしがみんなに象の声がしたと言っても、熱でもあったんだろうと誰も信じてくれませんでした。でも、本当です。あの、パォーンという、独特で高らかな鳴き声です。間違えっこありませんわ。

天井の高い、薄暗い家の中であたくしはじっと耳を澄ましました。なんだか嫌な感じがしました。何かが近付いてくるような気配を覚えたんです。

あたくしは立ち上がって、ドアを開けました。

すると、どしん、どしん、という、何か大きくて重たいものがゆっくり移動してくるような音が遠くの方から近付いてきました。

背筋が冷たくなりました。それが、なにやら不吉なものの存在に思えたからです。

そして、あたくしは見たのです。

ドアの向こうには、昼間でも暗くて長い廊下が延びていました。その一番奥に、曇りガラスの縦長の窓があったのです。その向こうに、誰かが立っていました。くしゃくしゃになった金色の髪の毛と、大きな掌《てのひら》がガラスに押しつけられていました。押し殺したような悲鳴が廊下を伝って足元を上がってきました。

更《さら》にその向こうから、巨大な象が現われたのです。いくら曇りガラスだからと言って、見間違えるようなものじゃございません。長い鼻が窓にばたんばたんとぶつかって、はめ殺しの鉄の窓枠がビリビリいっていました。ガラスに押しつけられている人間の頭よりもずっと高いところに耳が見えましたし、象牙《ぞうげ》もチラリと見えました。

目の前で何が起こっているのか、あたくしは自分の見たものが信じられず、その場に凍りついたように立ち尽《つ》くしていました。そんなに長い時間ではなかったと思います。

そのうちに、ぎゃあーっという断末魔の悲鳴が聞こえて、あたくしはハッと我に返りました。ようやく逃げ出すことを思いついたんです。もつれる足で自分の部屋に逃げ帰って、ベッドの下でずっと震えながら誰かが助けてくれるのを待っていました。あの時くらい怖《こわ》かったことはありません。あたくしは逃げ出す瞬間に見たのです。あの細長い曇りガラスに血飛沫《しぶき》がぴしゃりと飛んだのを――

気が付くと、あたくしはベッドに寝かされていて、家の中は警官でいっぱいでした。廊下の窓の外で、見知らぬ男がむごたらしく死んでいたというのです。死因はよく分かりませんが、全身の骨が砕《くだ》けていたというではありませんか。あたくしは自分が見たことを必死で訴えましたが、むろん誰も信じてくれません。父も調べられたようですが、旅行中にたまたまその家を借りたにすぎず、無関係だということはすぐに分かり、あたくしたちはその家を離れたので、事件がそのあとどうなったのか分かりません。
その日からあたくしは象が怖くなりました。象があの男を殺したことを知っているのはあたくしだけなのです。いつか象がやってきて、自分を殺すのではないかという恐れが長い間消えませんでした。ベッドの下で息を殺して震えていた夢を今でも見るのです。あの遠くから近付いてくる地響きの音を。やがて、象を見ると耳鳴りがするようになりました。動物園に行ったこともありませんし、サーカスも見られません。象がやってくる。象があたくしを殺しに、あたくしを踏み潰《つぶ》しにやってくる——

——どう思います、今の話を？
カウンターの中の主人がぽつりと口を開いた。
老婦人は既《すで》に去り、隣の席の前には空《から》っぽのコーヒーカップが残されていた。
多佳雄は、染付の小さな象をつまんで、しげしげと眺《なが》めている。
——興味深い話ですな。
陶器の象は、ひっくり返してみると中が空洞になっている。
——あの人は私の幼馴染《おさななじ》みでね。なかなか数奇な運命を辿《たど》った人なんですよ。
主人はぼそぼそと呟《つぶや》いた。
——分からないのは、なぜあの人はあんな作り話をするのかということですね。

何気なくそう切り返すと、多佳雄は象をカウンターに置いた。主人はチラリと多佳雄の顔を盗み見た。

——嘘《うそ》だと？

——ええ。あの人は、『象を見ると耳鳴りがする』のではなく、『象を見ると嘘がつきたくなる』らしい。本当は何があったんです？

多佳雄は主人に促《うなが》した。主人は一瞬逡巡《しゅんじゅん》したが、やがて話し始めた。

——確かに彼女は七歳の時にイギリスに行きました。しかし、別に奇怪な殺人事件なぞ起きはしなかった。ただ、イギリスに行く船の上で、彼女の両親はコレラに罹《かか》ってしまい、イギリスに着いたあとも苦しんだあげくに亡くなってしまったのです。コレラは経口感染です。みんな船の中の食事にやられたらしい。ですから、乗り物に弱くて何も食べられなかった彼女だけが助かった。船の中は悲惨な有様で、大勢の乗客が海の上で亡くなりました。彼女はじっと一人で絵本を読みながらイギリスに着くのを待っていたそうです。やっと日本に帰って来た時、彼女はすっかり顔付きが変わっていました。おっとりしたお嬢さんだったのに、運命があんなに人の顔を変えるとはね。裕福な家庭だったので、生活には困りませんでした。ただ、それ以来、彼女が象の話をするようになったのにみんなが気付いたのです。

主人は咳払いをすると、流しでコーヒーカップを洗い始めた。

——ふうん。想像するだに、恐ろしい光景ですな、幼い夢見がちな少女にとっては。

多佳雄はコーヒーのお替わりを頼んだ。

壁の時計の針があまりにまちまちな時刻を指しているので、だんだん時間の感覚が麻痺《まひ》してくる。今がいったい昼なのか夜なのか、思い出せなくなってくる。

――なぜか、親というものは必ず、自分の子に一度は『お前は橋の下から拾ってきたんだよ』と言いますな。『お前はうちの子じゃない』と。

多佳雄はコーヒーカップを口元に運びながら呟いた。

主人は黙々とカップを洗っている。多佳雄は構わずに続けた。

――その逆もありますね。子供のほうでも、『あんなのは本当の親じゃないに違いない。自分はどこかから貰《もら》われてきたんだ』なんて一度は想像しますわな。女の子なんかもっと極端だ。『あたしはみなしごのかわいそうな女の子なのだ。本当はどこかの国の王女様なのだ』とかね。想像上での親殺し、子殺し――いったん互いの存在と繋《つな》がりを否定することによって、逆に互いの存在の意味を確認しているんでしょうかね。

主人は布巾《ふきん》の上に洗ったカップを並べ始めた。つやつやした陶器の白に、さかさまになった柱時計が映っている。

――私の知っている子供で、極端に乗り物酔いする子がいるんです。デパートの小さな馬どころか、ぶらんこでも酔ってしまう。その苦しみたるや、尋常じゃない。みるみる真っ青になって、胃袋がひっくり返るんじゃないかと思うくらい吐き続ける。見ていてこっちがつらくなってしまうほどです。その子にとっては、『お出かけ』というものが大変な恐怖なわけですよ。遠足も、家族旅行も、ただの苦痛と恐怖でしかない。車だろうが、電車だろうが、その往復の全てが切れ目なく続く苦行《くぎょう》なんです。こっちは喜ばせてやろうと思って、言わば善意でどこかに連れていってあげようと誘うわけなんですが、私がそう申し出た時の、彼の表情にぎょっとさせられたことがあります。彼がこちらに向ける目は恐怖と憎しみなんです。彼の中にあるのは、自分を苦痛に追いやろうとする人間に対する敵意と不信感だけなんですな。

主人は手を止めて、顔を上げた。

――身体が弱くて乗り物酔いのひどい女の子が、長い船旅でイギリスに行くというのは、さぞかしつらかったでしょうな。

多佳雄はコーヒーを啜《すす》った。

――親のほうは家族サービスだと思っていても、当時としては大層贅沢《ぜいたく》な船旅を奮発《ふんぱつ》したのだとしても、彼女にとってはただの長い苦痛でしかなかったんじゃないでしょうか。年に一回必ず行なわれる苦行。彼女は父親を恨《うら》んだでしょうな。一人船酔いに苦しみながら、こんなつらい目に遭《あ》わせる親を呪っていると、突然みんなが苦しみ始める。ばたばたと親たちが倒れていく。船の中は惨状を極《きわ》める。呻《うめ》き声に埋め尽くされる船の中で、ほったらかしにされていた彼女が繰り返し読んでいた絵本とは恐らく――

多佳雄は鼻に指を当てた。

——『つむじ曲がりのメアリさん、あなたのお庭をどうするの？』。イギリスを舞台にした児童文学、バーネットの『秘密の花園』ですね。主人公のメアリはインドでわがままいっぱいに育ち、イギリスに古くから伝わる童謡で男の子たちにからかわれる。あらすじはご存知ですかな？　さよう、『秘密の花園』のメアリの両親は、インドで突然、コレラに罹ってあっというまに死んでしまうのです。そしてメアリはイギリスの遠縁の叔父に引き取られる。どうです？　コレラで苦しむ人々がいる、イギリス行きの船上で繰り返し読むには、些《いささ》か舞台装置が揃《そろ》いすぎているのではないですかね。すべてが現実に重なってきたとしても不思議じゃありません。彼女にとっての象とは、恐らく死の象徴なのです。インドでコレラに罹って死んだメアリの両親は、彼女の両親の死とダブっているのです。彼女の家には世界中の神様の絵が飾ってあったと言いましたな？——インドには象の姿をした神がいますからね。インドと象は彼女の中で既に結び付いていたのかもしれない——自分に苦痛を与えた父親に罰を与えることを願っていた少女が、その通りに親が死んでしまったことに罪の意識を感じていたとしたら。いつか自分も罰せられると思っていたとしたら——いつか象がやってきて自分を罰するのではないか、と。

二杯目のコーヒーも飲み終えるところだった。

多佳雄はカウンターに置かれた小さな青い象を見下ろした。

そう、彼女にもいつか象が訪れる。地響きを鳴らし、遠くから近付き、巨大な身体を揺らして窓の外から姿を現わすのだ。

ふと、多佳雄は気になった。

なぜ、この象がカウンターに置いてあるのだろう。

主人は幼馴染みだと言っていた。彼女の象の話を知っている彼が、常連の彼女の目につく場所にこの小さな象を？

多佳雄はそっと骨董品のような主人の横顔を見つめた。

てんで勝手な時刻を指す柱時計の群れの中で、歳月を拒絶するかのごとく立っている男。

多佳雄は小さな眩暈《めまい》を覚えた。

象を待っているのは、彼女だけではないのかもしれない。

海にゐるのは人魚ではない

あまり天気は良くない。

曇り空の向こうに、午後の鈍い光が滲《にじ》んでいる。

一人の老人が海を前に佇《たたず》んでいる。

ガードレールの外側の、すぐ下で濁《にご》った灰色の波が砕《くだ》けている。

老人は上背《うわぜい》が高く、背筋も伸びている。昔の文豪のような丸眼鏡を掛けており、中折れ帽にツイードの千鳥格子《ちどりごうし》のジャケットといういでたちは、どことなく現代離れした古い西洋趣味のような洒脱《しゃだつ》さが漂《ただよ》っている。

眼鏡の奥の表情は読めない。じっと打ち寄せる波を見つめながら、口をもぞもぞと動かしている。

おもむろにジャケットのポケットに手を突っ込み、老人は手に触れたものを取り出した。チョコレートの包み紙。ポケットを探っても、あるのは包み紙ばかりである。

老人は軽く舌打ちした。いつのまにか、全部食べてしまったものと見える。

老人は両手を上げて伸びをすると、左右に動かした。

道路の路肩に停《と》めてある、小さな深緑色の車を老人はチラリと振り返った。なんとなく、心細そうに見える。

老人は小さく溜め息をつくと、ぶらぶらと歩きだした。

春《しゅん》はどこまでいったんだ。電話するだけならどこかそのへんの店にでも入ればいいじゃないか。

関根多佳雄《せきねたかお》はぶつぶつ呟《つぶや》きながら、春風の中を歩いていた。

曇り空だが、暖かいのが有難い。時間はあるし、いざとなればタクシーを呼べばいいのだけど、息子が戻ってこないのは気になる。

息子と二人、旅行に行くなんぞ何年ぶりだろう。野郎二人の旅行、しかも図体《ずうたい》の大きい社会人の息子との旅行など、なかなかない機会である。親は引退した判事、息子はバリバリの現役検事。あまり色気のある組み合わせとは言えないし、これから彼等が目指しているのはもっと色気のない場所である。

二人は伊東《いとう》の外れの、崖《がけ》っぷちに住んでいる偏屈《へんくつ》な男の家を尋ねるところなのだ。高名な実業家だったのだが、今は引退して自宅に温泉を引き、長年の夢だった大長編小説を書きながら暮らしている。今のところ公表の意思はなく、あくまで自分の楽しみのために書いているという。

昔、ある事件を介して知り合ったのだが、アクの強さ加減が多佳雄と似通《にかよ》っていてうまが合ったのか、何年かに一度ホーム・パーティに呼んでくれる。今回会うのは二年ぶりだ。彼は気になる提案をしていた。「謎を抱えている四人の男を招待しているので、是非《ぜひ》参加されよ」という短い葉書がその発端《ほったん》である。多佳雄が大の推理小説ファンであるのを知っていての企画であろうが、温泉に浸《つか》りながらの謎解きとは乙《おつ》な企画ではないか、と二つ返事で招待を受けた。一人で参加するつもりであったのが、自分の抱えている汚職事件の捜査を一段落させて、数カ月ぶりの休みを取って帰ってきた長男が、その葉書に興味を示して急についてくることになったのである。彼がその葉書のどこに興味を示したのか聞き出したいところであるが、春はのらりくらりとその返答を避けている様子だ。多佳雄は釈然《しゃくぜん》としないものを感じつつも、親子で謎解きなんてエラリー・クイーンみたいでいいではないかと一人で悦《えつ》に入っていたのである。

春は、親から見ても見事に物欲のない男である。好奇心は旺盛《おうせい》だし、食らいついたら放さない勝負強さも持っているのに、六畳一間のがらんとしたアパートに暮らし、服も家財道具もすべて友人からの払い下げで調達している。一見つかみどころのない男だが、人望はあるようだ。激務のせいもあろうが、三十代半ばを越えてまだ独身。親として同性として悪くはないと思うのだが、年長者と同性から見ていい男が必ずしも若い女性から見てそうとは限らない。今時、仕事人間など流行《はや》らない。ちゃんと毎晩帰ってきて業務報告をし、週末に味も分からぬ二千円程度のワインを、冷蔵庫で冷えきった堅いチーズと一緒に飲んでくれる男がいいのだろう。

その息子の乗る車であるから、当然借り物である。学生時代の友人から調達してきた車が、伊東に向かう路上で突然エンストした。今、彼は業者を呼びに行っているところなのだ。携帯電話も持っていたのだが、折悪《あ》しくバッテリー切れで電話を探しに走る羽目になってしまったのだ。

波はざぶざぶと岸壁にぶつかってくる。気になりだすと、潮騒《しおさい》で頭がいっぱいになり、次第に説明のつかない恐怖すらもが心の片隅に忍びこんでくる。

寄せては返す波というのは本当に不思議だ。この静かな空気、透明な空気のどこにこれだけの動きを引き起こすエネルギーが隠れているというのだろう。目に見えぬものが世界を動かしているという事実を、なぜ潮の干満や波に限って信じることができるのだろう。

息子が業者を呼びに行った方向に歩いて行くと、イカやアジを一夜干しにしている小さな店が点々と並んでいる。多佳雄は鼻をひくつかせた。一夜干しで、まだ柔らかいイカを炭であぶって食べながら冷酒を飲んでいる自分を想像する。甘いものには目がないが、酒に対する愛情はまた別である。今夜の宿の主は名うての食い道楽だ。色気はなくとも食い気のほうは期待できそうである。

「――海にいるのは人魚じゃないんだよ」

その時、すとんとその会話が頭に入ってきた。

多佳雄は声の方向に顔を向けた。

「じゃあ、なんだよ」

「海にいるのは、土左衛門《どざえもん》さ」

「でも、オレ見たもん、人魚」

二人の小学生が、黒いランドセルを背負って通り過ぎた。

多佳雄は足を止めて、二人の児童の後ろ姿を見送った。

はて。今なんと言ったのだろう。

白昼夢を見たような気分だった。

小学生が喋《しゃべ》るような台詞《せりふ》だろうか。

海にいるのは人魚じゃないんだよ。

どこかで聞いたような。

多佳雄は再び歩き出した。一瞬、潮騒が消える。

おお、そうか、中原中也《なかはらちゅうや》か。

あれはこんな詩だった——

海にゐるのは、
あれは人魚《にんぎょ》ではないのです。
海にゐるのは、

あれは浪《なみ》ばかり。

曇つた北海の空の下、
浪はところどころ歯をむいて、
空を呪《のろ》つてゐるのです。
いつはてるとも知れない呪。

海にゐるのは、
あれは人魚ではないのです。
海にゐるのは、
あれは、浪ばかり。

あの子は、この詩を知っていたのだろうか？
多佳雄は訝《いぶか》しんだ。改めて後ろを振り返ると、子供たちはもう小さくなっていた。
中原中也か。昔はよく詩を読んだものだったが。あの時代の詩人たちの、東洋と西洋の狭間《はざま》――または近代と現代の狭間の、日本語がいちばんなまめかしかった時代の詩はもう二度と現われないだろう。

海の上に、細い光の束《たば》が弱々しく光を投げかけている。光は灰色の海にまだらな網目模様を作り、あてどもなく波の上をさまよう。

自分がそんなに感傷的な人間だとは思わないのだが、この風景を目の前にしては、無常という言葉を思い浮かべずにはおられまい。

多佳雄はいささかロマンチックな気分でその場に佇んだ。無意識のうちにポケットをまさぐる。

くそ。さっきの休憩所でもっとチョコレートを買っておけばよかった。

多佳雄はきょろきょろしながら店を探す。

大きくカーブした海岸線のところのガードレールが切れていた。何かがぶつかったあとがあり、応急に修理が施《ほどこ》してある。最近、事故があったのだろう。こんなところでガードレールが切れたら、そのまま海にドボンだ。いくら泳ぎが達者でも、現在の仕様の車では構造的に水中ではドアが開かず、中に流れ込んできた水で溺《おぼ》れ死ぬケースが多いという話を聞いたことがある。

――海にいるのは人魚じゃないんだよ。いるのは土左衛門さ。

さっきの子供の声が再び頭に浮かんだ。

子供の頃、溺死《できし》者を『土左衛門』と呼ぶのを奇異に思ってすぐに覚えた記憶がある。さっきの子供も、その響きを面白がっていたような感じがあった。きっと、最近覚えた言葉なのだろう。日にちの経《た》った水死者というのは、ガスで膨《ふく》れ上がって見られたものではない。江戸時代の力士で土左衛門というのがいて、その著《いちじる》しい巨体とガスで膨れた水死者が似ていることから、溺死者を『土左衛門』と呼ぶようになったという。水の町だった江戸では、庶民が溺死者を目にすることが多かったに違いない。

――でも、オレ見たもん、人魚。

突然、もう一人の子供の声が浮かんだ。あの不満そうな声には、自分の見たものを信じている子供の頑固さが聞き取れた。

人魚だと？

多佳雄は顔をしかめた。

海にいるのは人魚ではない。それは、正しい命題である。彼が見たものが人魚であるはずはない。

では、彼は何を見たのだろう？　彼の言う人魚とはなんだったのだろう？

多佳雄は人魚の正体を考えながら、のろのろと歩いていた。

もしかすると、本当に彼は人魚を見たのかもしれぬ。子供というのは、ある時期見えないものを見ることができるのだ。

土曜日の午後だ。温泉に向かう車がどんどん通り過ぎていく。人影はまばらである。

そろそろ車に戻ろうか。いい加減、春も戻ってきているだろう。もしかして、自分のことを探していたかもしれない。

穏やかな潮騒にも、変化のない風景にもそろそろ飽《あ》きてきた。潮風のきつい塩気もつらく感じられてくる。

引き返そうかと足をゆるめた時、ふと、前方の岸壁で海から何かを引き上げている男が目に入った。長い竿《さお》のようなものを海の中に突っ込んでは、黙々と白いものをすくい上げている。何を揚《あ》げているのだろう。魚？

多佳雄は興味を覚え、ゆっくりとその男に近付いていった。


初老の男が海からすくい上げているものは、海鳥の死骸《しがい》だった。

大量というほどではないが、道路のアスファルトの上に積み上げられたぼろぼろの羽の塊《かたまり》は十羽を越えていた。

「どうしたんです？」

多佳雄が尋ねると、男は小さく左右に首を振った。

「分からんね。ここ数日、浮かんでる。何か悪いもんでも食べたんじゃないかね」

「よく、ビニール袋やプラスチックを飲み込んでると言うじゃないか」

「うん。でも、今回は違うみたいだね。そういうもんは胃袋になかったよ」

「じゃあ、なんだろう」

「分からんね」

男は一度も多佳雄と目を合わせることなく、無表情に鳥を引き上げ続ける。

下を覗《のぞ》き込むと、散った花びらのような水鳥がまだ数羽ほど、木切れや海草と一緒にちゃぷちゃぷと岸壁に打ち付けられていた。

殺伐《さつばつ》たる眺めに、多佳雄は憮然《ぶぜん》とした面持《おもも》ちになり、その男から離れると、もと来た道を引き返し始めた。しかし、頭の中には今見た花びらのような水鳥の死骸が揺れ続けている。

車の脇で春が手を振っていた。コーヒーの缶を二つ持っている。

「どこ行ってたの」

のんびりした口調で尋ねる。

「散歩さ。どうだった」

「公衆電話がなくて参っちゃった。あと三十分くらいで来てくれるって。それまでのんびりしてて。車で一眠りという手もあるし。よかったら、お父さん中で寝てたら。修理が終わったら起こすよ」

「いや。こんなに暖かいし、外のほうがいいな。コーヒー、くれ」

アスファルトは十分温《ぬく》もりを持っており、乾いていた。二人は路面に腰を降ろすと、ガードレールにもたれかかり、並んでコーヒーを飲んだ。

「いいね。頭カラッポになって」

「うむ」

春風が頰《ほお》を撫《な》ぜる。

「――お前、なんでついてくる気になったんだ？　貴重な休暇だろうが」

多佳雄はさりげなく切り出した。

春はくすぐったそうな顔をしてちらりと多佳雄の顔を見る。

「好奇心だよ」

空いた缶を灰皿にして、春は美味《うま》そうに一服吸った。

「確かに、お前もミステリ・ファンだったな。でも、それだけでお前が他のことを犠牲にして、年寄りと二人で伊東くんだりまでやってくるとは思えん」

多佳雄はコーヒーをぐびりと飲んだ。

「やれやれ。お父さん相手じゃかなわない。じゃあ、お父さんに一つ質問をしよう」

春は身体を起こして座り直した。

「ある人が自宅に温泉を引くのはどうしてだと思う？」

多佳雄は面食らったが、無表情に答える。

「――温泉に入るためだ。旅館まで出かける必要がない。居ながらにして二十四時間入れる。最高の贅沢《ぜいたく》だろう」

春がくすりと笑う。

「はい。正解です。でもお父さん、仮にもクイーン親子を目指すのなら、それはあんまりだよ」

「分かってる。今考えてるんだ」

多佳雄はぶすりと答えた。

春は前を向いてのんびりと煙草《たばこ》を吸っている。

「何かを温めるため、というのはどうだ。亜熱帯植物を育てたい。常に温室を温めておく。きれいな答じゃないか」

思い付いて多佳雄が顔を上げた。

春は穏《おだ》やかに微笑《ほほえ》んでいる。

「――違うのか」

多佳雄は腕組みをした。

空気はあくまでのどか。

ガンガンと地響きのような音楽をかけっぱなしにした車が近付いてきて遠ざかって行く。

再び数分が経過した。

「これはどうだ」

多佳雄が顔を上げる。

春は横目でちらりと父親を見た。

「何かを引き入れることができるということは、逆に何かを外に持ち出せるということだ。つまり、行き来ができるという意味だな。引き入れると見せかけて、実は何かをこっそり外に流し出している。これは？」

春は小さく頷《うなず》いている。

「いい線かもしれない」

「でも、違うのか」

多佳雄は頭を抱えた。

更《さら》に、数分が経過。

「うーむ」

次の答は浮かびそうにない。

春が口を開いた。

「お父さん、考え過ぎだよ」

「クイーン警部は遠いな」

多佳雄は溜め息をついた。

「僕の答はもっと簡単だよ。人が自宅に温泉を引くのはなぜか？　それは、穴を掘るためだ」

多佳雄はまじまじと息子の顔を見た。

「――あいつが？」

それは、今夜の招待主のことを指していた。春は無表情にこちらを見つめ返す。

恐らく、彼が仕事をしている時に浮かべているであろう目付きが一瞬目の中をよぎった。

多佳雄はその瞬間、自分が現役時代に日々感じていた職場の空気を思い出した。

春はすぐに表情を緩《ゆる》めた。

「お父さん、これからする話は今僕が吸っている煙草のけむりと一緒に忘れてね。今日僕たちを招待してくれている男は、巨額な脱税容疑者のリストで長年に亘《わた》って上位にランクされている。ついでにいうなら、少なくとも三人の男を殺害した疑いもある」

春は世間話でもするような調子で煙草のけむりを宙に吐いた。

「いや、ランクされていた、というべきかな。もう事業は引退したしね。彼は非常に用心深かったし、他人に頼らず、よく法というものを勉強していたよ。こっちが教えを請《こ》いたいくらいだ。下手《へた》なヤメ検よりもいい企業顧問になれるんじゃないかな。もうずいぶん長いこと疑われてましたよ。結局、尻尾《しっぽ》は出さなかったけど」

多佳雄は息子の話に聞き入った。

「噂《うわさ》は聞いていたんだよ。伊東に引きこもって、豪勢な自宅を大改造して温泉を引いたって話は。でも、お父さんに来たあの葉書を見るまでそんなことはすっかり忘れていたんだ。でもねえ、あの葉書を見たらむくむくと疑念が湧《わ》いてきてねえ。いったいなんで彼は温泉を掘ったんだろうってね」

「死体を埋めているというのかい」

「それよりも、口座にない資産を埋めているんじゃないかという疑いのほうが強い。伊東にある自宅に温泉を掘ったと言えば、遠方から客を招いても不思議じゃないでしょ。むしろ、じゃんじゃん友人を呼んで自慢したいのが人情だよね。それを口実《こうじつ》に、いろんな人がお金を受け取りに来たり置きに来たりしても不思議じゃない」

「なるほど。温泉を引くもう一つの答だな。自宅にたくさんの人を呼ぶため」

「そうだね、そこまでは僕の答には入ってなかったんだけど。確かにそうだな。そっちのほうが正しいかもしれない」

春が、今初めて気が付いたというように声を上げた。

「今更、捜査はできんだろう」

多佳雄は乾いた声で呟いた。

春は大きく頷く。

「たぶんね。でも、僕はあの葉書を見て他にも思い付いたことがあったんだ」

春はにやりと微笑んだ。

多佳雄は不思議そうに息子を見る。

「――彼は、告白したがってるんじゃないかってね」

「告白？」

「そう。人間、何かを長い間隠していると我慢しきれなくなるもの。相当大きなものを隠し続けてきた彼のストレスは、ここへきて極限に来てるんじゃないかな。引退した判事のお父さんをわざわざ疑惑の場所である自宅へ招待するというのは、お父さんを告白の相手に選んだんじゃないか、って考えたんだ。彼なりの込み入った方法でね」

二人は互いに何かを待つような表情で視線を交わした。

「だとすると」

多佳雄はあきれたような声を出した。

「今夜は素晴らしい夜になりそうだな」

「ほんと。ほら、僕たちを素晴らしい夜へと運んでくれる使者が来たみたいだよ」

春は遠くから姿を現わした、車体に大きなロゴを描いた業者のものらしい車を指差した。

「――海にいるのは人魚ではない、か」

再び走りだした車の中で、窓の外を飛び去る水平線を見ながら多佳雄は呟いた。

「何？――ああ、中原中也だね」

春が答えた。

「お前も知ってたか、あの詩」

「うん。だって、お父さんの本棚にあったもん。僕が中学生の時、お父さん、読め読めって言ったよ」

「そうか。忘れてたな」

「それがどうしたの」

運転している春が不思議そうに視線を投げる。

多佳雄は眠気覚ましにと、さっき耳にした子供たちの会話の話をした。

「ふうん。『でも、オレは見た』、か」

「分かるだろ？　子供が頑として自分の意見を譲らない時の声だ。人魚の正体はなんだと思う？」

「人魚の正体ねえ」

今度は春が考え込む番だった。

「一般的に、人魚の正体はジュゴンとかマナティだっていうんでしょ？　でも、あれってどう見ても人魚には見えないよねえ。水族館で見たことあるけれど。あれをラッコとかアザラシに見間違えるっていうのなら分かるよ、でもあのつるんとした間抜けな顔見て人魚に見間違える阿呆《あほ》がいると思う？　よほど目が悪いか、よほど暗かったか、よほど見た奴が怯《おび》えてたかのどれかだよ」

春の言葉に、かすかに脳裏で蠢《うごめ》くものを感じたが、多佳雄にはそれが何か分からなかった。

風景の中に、建物が増え始めた。まもなく伊東の市街地である。

春は多佳雄が考えこんでいるのも気に留めず、喋り続ける。

「――あの『人魚姫』っていうのも残酷な話だよね。すべてを犠牲にして、声も失って、苦しんで人間になったのに、結局は王子に振られて海の泡。童話っていうのは『代償』をテーマにしたものが多いと思わない？　人生は、何でも何かと引き換え。確かに鋭い教訓ではあるけどさ。僕、初めて『人魚姫』を読んだ時に、人魚が人間になった時の痛みの描写がリアルで震えあがったの覚えてるよ。尾ひれを失って、二本の足で陸《おか》に上がった時、一歩歩くごとに全身に激痛がはしる。痛くて痛くて気絶しそうなのに、彼女は必死に光に向かって歩いていく。うん？　これ、今気が付いたけど、『処女喪失』を暗示してるのかな？」

多佳雄はぴくんとした。

尾ひれ。

多佳雄は息子の顔を振り返った。

「――人魚とは、なんだ？」

春はあっけに取られた。

「どういう意味？」

「文字通りの質問だ。お前、人魚と言った時に、どういうものを想像する？」

「そりゃあ――それこそ、人魚姫でしょ。髪が長くて、上半身裸で、腰から下が魚で、大きな尾ひれがついてる女」

「そう。それだ」

多佳雄は力強く頷いた。春はますます面食らう。

「あの子は、そのとおりのものを見たんだよ」

「ええ？」

「伊東市の地図あるか」

多佳雄は急に、後部座席に手を伸ばして転がしてある幾つかのマップを振り返った。

「あるけど——いきなりどうしたの？」

「決まってるだろ。図書館に行くのさ」

図書館に駆け込むなり、多佳雄は一目散《いちもくさん》に新聞置き場に向かった。棚に置いてあるここ一週間の新聞を手際《てぎわ》よくパラパラとめくっていく。見ているのは、地方版のページだ。

「あった」

多佳雄は小さく叫んだ。隣で見守っていた春が一緒に紙面を覗き込む。


病気を苦に一家心中？

十四日午後四時頃、伊東市の海岸通りで海に乗用車が飛び込んだようだという通報があり、捜索したところ、伊東市××町の奥村弘志《おくむらひろし》さん（五三）、妻典子《のりこ》さん（四八）、弘志さんの両親の弘次郎《こうじろう》さん（八一）、しげさん（七八）の乗っていたと見られる乗用車を発見。典子さんを除く三人が遺体で発見された。典子さんは十四日午後十時現在も行方不明。弘志さん夫婦に子供はなく、先月弘志さんが病気で倒れいったん退院したものの、回復の見込みが薄いことを医師から告げられていたという。


「――これがどうしたの？」

春はぽかんとした表情で尋ねた。

「これが、人魚の正体さ」

多佳雄は記事のコピーを取ると春を促《うなが》して図書館を出た。

「これが？」

再び車に乗り込んでエンジンをかけながら、春はコピーを取り上げた。

「我々が海の中に人魚を識別するとしたら、何を目印にするね？　遠くから見た時に、自分は人魚を見たと納得することのできる要因は？」

多佳雄が質問した。

「うーん」

「髪の毛と尾ひれだ。違うか？」

「ああ」

「あの子は、十四日の夕方の海の中にその二つを見たんだよ。つまり、足にひれを付けて泳ぐ女性の姿をね」

「え？」

「車が海に飛び込んだ時、水圧で扉が開かなくなる。しかし、徐々に水は車内に流れ込んでくる。そのために窒息《ちっそく》して、車内にいる人間は溺れ死ぬ」

多佳雄の脳裏に、切れてひしゃげたガードレールが浮かんだ。

「しかし、いずれ内と外の水圧は均一になる。車の構造はよく分からないが、その状態まで待てば扉は開くんじゃないだろうか。それまで、酸素ボンベか何かを持っていて、酸素を吸いながら我慢していればいいんだ。泳ぎやすいように足にひれを付けて」

春はようやく納得し始めたようだった。

「なるほど。この記事の中で唯一《ゆいいつ》行方不明だった妻ですね？」

「運転していたのは彼女だったんだ。恐らく、他の三人に毒物を飲ませておいて、それが効く前に車に乗せた」

長い竿で黙々と死んだ水鳥を引き上げていた男。

あの鳥たちの死因は、薬物だったのだ。鳥たちは、海に漂っていた三人の死骸をついばんだのだ。毒に冒《おか》された屍肉《しにく》を。

日が傾き始めた。

「しかし、相当危険な賭《か》けですね。自分もお陀仏《だぶつ》になる可能性のほうが高そうじゃないですか。この歳《とし》の女が、そんな思い切った賭けを」

春が記事を眺めながら信じられないという声で呟いた。

「よく見てみろ。それは、夫の両親じゃないかね。女にとっては義理の両親。お前だったらどうする？　近い将来死ぬ夫の介護。子供はない。夫の死後も自分の手に残される夫の両親。三人の面倒をみていくのと、一《いち》か八《ばち》かで一人もう一度自由の身になるのと。生まれも育ちも海辺だったら、泳ぎには子供の頃から自信があったのかもしれない」

春は黙り込んだ。

二人は前を見つめる。

「どうします？　警察へ？」

しばらくして、春が低い声で尋ねた。

多佳雄はじっと前方を見つめたままだ。

「そうだな——いや、まず駅に行ってくれ」

「駅？」

「それから決める」

多佳雄の言葉に首をひねりながらも、春は駅に向かって車を走らせた。

「すぐ戻る」

多佳雄は早足で駅の売店に走った。小銭を取り出すのが見える。

春は車の中から父親の行動を見守っていたが、彼が何を買ったのかは、他の客の陰になって見えなかった。

ジャケットの内ポケットに買ったものを突っ込み、多佳雄は小走りに車に戻ってきた。

「どうするの？」

春は待ち切れずに尋ねた。

多佳雄はドアを閉めながら答える。

「警察には行かない。このまま奴の家に行こう」

「いいの？」

「いいんだ」

何か言いたそうな息子の視線を無視して、多佳雄は発車を促した。春は不満そうにハンドルに手を伸ばす。

「そりゃ、確かになんの証拠もないですけどね」

春はぼそりと呟いた。

多佳雄の脳裏には、改めて子供たちの会話が思い出されていた。

今ならば、二人の会話がどのようにして交わされたのかが分かる。

あの男の子は、一人の女が自由を求めて命懸《が》けの冒険を試みているのを目撃していたのだ。そして、もう一人の子は、その後に発見された三人の水死体の噂を大人がしているのを聞いて、『土左衛門』という言葉を覚えたのだ。

二人の子供は、同じ事件を別の方向から語っていたのである。

車内は沈黙に満ちたまま、黄昏《たそがれ》に沈み始めた海岸線を走り続けていた。

「――でも、お父さん」

信号待ちで、春は思い切って父を振り向いた。

「警察に行く必要はないと言ってるんだ」

多佳雄は前を向いたまま、ぴしりと言った。

春はキッとなる。

「でも、犯罪が行なわれた可能性は捨て切れない」

「そうかもしれない。でも、もういいんだ」

多佳雄は、内ポケットに入れていたものを春の膝にばさりと投げた。

それは、薄い夕刊だった。図書館にあった、今朝までの新聞には載っていなかった記事――足にひれを付けた中年女の死体が遠い浜辺に打ち上げられたという記事――が載っている夕刊を。

多佳雄は、窓の外に目をやった。

窓ガラスに、じっとその記事を読む春が映っている。

「――僕の言っている犯罪は、そういう意味じゃないんです」

少しして、窓ガラスの中の春が顔を上げてこちらを見た。

「え？」

多佳雄は春を振り返る。

「この事件をさっきの温泉の話と同じように考えてみると、どう？　人間の乗った車を海に投げ込むのはどうしてだと思う？」

春の淡々とした声に多佳雄は胸騒ぎを覚えた。

息子は何を言おうとしているのだ？

春はひとりごとのように呟いた。

「――海で溺れ死んだように見せるためだ」


「僕にはどうしても、車ごと海に飛び込むという無茶な行為を、酸素ボンベや水掻《か》きを用意しておくような女がしたとは思えない。それよりも、女の死体は最初から別の場所から海に投げ込まれて、車は車で海に突っ込んだような気がする」

春は、再び車を走らせながらぼそぼそと呟く。

「逆から考えてみようよ。ここに、溺れて死んだ女の死体がひとつある。風呂だか洗面器だかは分からない。とにかく溺れて死んだ女の死体がある。もしかして、彼女は病気の夫とその両親を捨てて逃げようとしていたのかもしれない。四人にどういう軋轢《あつれき》があったのかは分からないが、逃げようとした彼女を三人で殺したのかもしれない。三人にはもう失うものはない。心中する意思を固める。溺れさせた女に水掻きを付けて海に投げ込む。自分たちを見捨てた女を殺人者に仕立てて、彼等の死後も悪者としてレッテルを貼らせ、自分たちを彼女に殺された哀れな犠牲者にするのが彼等のせめてもの女に対する復讐だった——このほうが、開く可能性の低い車のドアの内側で我慢しているよりも、リアリティがあると思わない？」

二人は黙り込んだ。

灰色の海は徐々に黒く宵闇《よいやみ》に溶《と》けていく。沖合を、夕暮れの風に砕ける波が白く泡立っているのが見える。

やがて、春が再び口を開いた。

「実は、自分で説明しておきながら、僕は今の説をあまり信じていないんだ」

多佳雄はチラッと息子の横顔を見る。

「最初の子はこう言ったんだよね？『海にいるのは人魚じゃないんだよ』。これで言葉どおりかな？」

「そう。確かにそう言ったね」

「この台詞、どう思う？」

春の口調が思わせぶりになる。

「どう思う、というのは?」

「普通だったらこう言うんじゃない? 『お前が見たのは人魚じゃないよ』。もしくは、『人魚なんかいないよ』。でも、彼はそうは言っていない。『海にいるのは人魚じゃないんだよ』。これって、会話としては不自然じゃない?」

「うん、言われてみればそうだな。会話じゃなくて文章だね。そのせいで、中原中也の詩を思い出したくらいだから」

「そう。これは、引用文だよね。もっとはっきり言えば、誰かの言った台詞を伝聞して喋っている台詞だ」

春の目が鋭くなった。

「今、僕の頭の中に浮かんでいる光景が分かる? 小さな男の子と、大人が海辺を歩いている。男の子は、海に浮かんでいる尾ひれを付けた女を目撃する。彼は隣の大人にきく。『あれは、なあに? 人魚?』。すると、大人はこう答えるんだ。『海にいるのは人魚じゃないんだよ』。子供がもう一度尋《たず》ねる。『じゃあ、あれはなに?』。大人は無表情な声で答える。『あれは、土左衛門さ』」

沈黙が降りた。

多佳雄の脳裏にも、その光景が浮かんだ。無邪気に尋ねる子供。その隣に立って、海を漂う死骸をまったく表情を変えずに見下ろす男――その男の顔は――

「考え過ぎなのかな。単に今日の招待に興奮しているせいで、何でも結びつけたくなるんだろうか。僕には、それがこれから会う男に思えるんだ。夫の医療費や生活費のために、伊東に住む大富豪の後ろ暗い手伝いをしていた女が、役目は終わったとばかりに海に放り込まれ、溺死させられる。女一人だけでは怪しまれるし、女には死ぬべき動機が揃っているのを幸いと、女に頼っていた家族三人に無理やり毒を飲ませ、車ごと海に突っ込ませる。それらをすべて他人にやらせ、その結果を崖の上から見下ろしている男が、すぐそこにいたような気がして」

春はそれきり口を閉ざした。

海はいよいよ深く暗い紫色に沈んでいく。

しかし、高くなる波はますます激しく、遠い場所でほの白く砕けている。

春の夜の冷たさが忍び寄るのを感じながら、多佳雄は窓の外を見つめた。

確かに、中也の言っていたことは正しい。

多佳雄は低く胸の中で繰り返した。

海にゐるのは、
あれは人魚ではないのです。
海にゐるのは、
あれは浪ばかり。

ニューメキシコの月

テーブルの上には一枚の白黒写真がある。どことなく幻想的な風景写真。画面の下を横切る平原。残りの大部分を占める漆黒《しっこく》の空。その空をひっかくようにたなびく白い雲。平原にはひらべったい小屋と教会、無数の十字架が小さく埋《う》もれている。そして、中空にはぽつんと丸く白い月が浮かんでいる。写真の隅っこにタイトルが書かれていた。

エルナンデスの月の出。ニューメキシコ州、一九四一年。

「ああ、これは有名な写真じゃないですか？　見たことがあります」

「でしょう？　アンセル・アダムスというアメリカの写真家が撮《と》った写真でね。いわゆる芸術的な風景写真では草分けみたいな人です。まだ写真の技術そのものが黎明《れいめい》期だった時代なのに、完成されたテクニックで有名で、現代の写真家でも未《いま》だに彼に追いついていないんじゃないかと言われてます。今見ても、不思議な神々《こうごう》しさ、生々しさがあってね。非常に高潔な感じがしますよね」

「そんな古い写真に見えないですね。構図もモダンだし、洗練されている」

このような会話が交《か》わされているのは、内容の優雅さとは裏腹に無機質な病院の一室である。

会話の主は、足をギプスで固めた大柄な老人と、ベッドの脇のパイプ椅子に腰掛けた痩《や》せ型の男。小さなテーブルにはテレビ、ラジオ、CDウォークマン、たくさんの文庫本、インスタントコーヒーや紅茶のティーバッグ、文明堂《ぶんめいどう》の個別包装になったカステラ。ベッドの主が少なからず退屈していることがうかがえる。

関根多佳雄《せきねたかお》が、所用で駅に向かい、遠足帰りで殺到する小学生の集団に巻き込まれ、不意をつかれて転倒し、足の脛《すね》にひびを入れたのが一月《ひとつき》前。たいした怪我《けが》ではない、ギプスで固めて安静にしていれば二、三週間で治ると医師がつまらなそうに保証したのに、殺到した小学生の担任教師や父母がそれでは申し訳ないと大挙してやってきて、嫌がる多佳雄を児童の父兄の経営する小《こ》綺麗《ぎれい》な病院にかつぎこんだのがその二日あと。ろくに病気もしたことのない夫が軽傷とは言え入院することになって動揺を隠せなかった妻も、二日ばかり来るとたちまち飽《あ》き飽きしてしまう。それじゃああなた、ここでしたら三食付きですしあたしが来る必要も、と呟《つぶや》いていたかと思ったら、美術学校時代の友人にさっさと連絡をとったらしく、四泊五日の九州旅行に旅立ってしまった。

引退したとはいえ、元は名の知れた裁判官である。「関根多佳雄入院す」というニュースは、思いがけず尾ひれがついて知人たちに広まったらしく、中には遠方から車を飛ばして青い顔でやってくる法曹関係者もいる始末で、カステラを齧《かじ》りイヤホンを付けて、翻訳ミステリを読みつつギプスで固めた足を吊っている間の抜けた彼と対面して、恥ずかしいやら気まずいやらで、互いに赤面、爆笑するてんやわんやの日が二、三日。命に別状はないらしいし暇にしているらしい、おまけに彼のギプス姿はなかなかの見物《みもの》であるという話が伝わって、今度は笑いを嚙《か》み殺しつつあちこちから友人がやってくる。次の一週間で、ここ数年不義理にしている友人が入れ替わり立ち替わりやってきて、暑中見舞いや年賀状で今年こそお目にかかりたいと決まり文句を吐いていた連中が一気に捌《さば》けた。

そうなると、今度は冷《さ》めたコーヒーのような退屈がやってきた。かねてからまとめて読もうと思っていた『失われた時を求めて』を読み始めたものの、さすがに来る日も来る日も読書に明け暮れると食傷気味だ。動かさずに重装備をしていただけあって、骨のくっつき加減も順調で、あと二日で退院、やれやれ年季明けかとホッとしていたところへその男がやってきた。

貝谷《かいや》という男は東京地検に勤める極めて優秀な男だが、慢性的な人員不足で激務に追われているはずなのに、いつもそよ風に吹かれているかのように飄々《ひょうひょう》として笑《え》みを絶やさぬ男だ。世の中たいして仕事もしていないくせに忙しがる人間は山といるが、あれだけの仕事をこなし実績も挙げているのに、いったいどこに他のことをする暇があるのかと思うほど、この男は世事やカルチャアにも通じている。多佳雄よりも二十歳ほど年下だが、うまの合うところがあると見え、時々エアポケットのような状態の時にやってきて、面白い話をしていってくれる。

その彼が、ニコニコいつもどおり低い物腰で部屋に入ってきて差し出したのが、その白黒写真なのであった。

「うふふ、関根さんたら、こんなもの読んでるなんて」

病室に入るなり、貝谷は小さなテーブルに載っている文庫本を手に取った。ジョセフィン・テイの『時の娘』。古典的な歴史ミステリで、入院中の刑事が歴史上悪名高いリチャード三世の素顔を推理するという典型的かつ有名な安楽椅子探偵ものなのである。

「ひょっとして、ご自分の境遇と重ねて見ておられませんか？　おお、なんというグッドタイミング。こんな状況にピッタリの話を持ってきましたよ。ぜひ『時の娘』に対抗していただこうじゃありませんか」

「グラント警部に対抗しようとは思いませんよ」

そっけない素振《そぶ》りを見せつつも、多佳雄が内心わくわくしているのは貝谷もお見通しである。小さな黒いパイプ椅子にちょこんと腰掛け、「ちょいと失礼」とポケットから平べったいウイスキーの瓶《びん》を取り出し、小さな蓋《ふた》を開けるとくい、と呷《あお》った。

「気付け薬です」と、片目をつむってみせる。

ふと、彼が今、政界と建設業界全体を根元から揺るがす底無し沼のような汚職事件を扱う現場を指揮していることを思い出した。各界からの圧力やマスコミの報道合戦に神経をすりへらし、もはや疲労は澱《おり》のように全身に蓄積しているはずだ。ほとんど睡眠を取っていないのだろう、ウイスキーを飲みこみ、小さくフウと息を吐く彼の端整な顔に、かすかに赤みがさした。ここに来て四方山《よもやま》話《ばなし》をするのが彼なりの息抜きなのかもしれない、とちらっと考えた。ならば一緒に寛《くつろ》ぐまでである。

「貝谷さん、それはないでしょう。そのテーブルの下から私の酒も取ってくださいよ」

多佳雄は扉の付いた小さな戸棚を指さした。

扉の中にはウイスキーの瓶がごっそり入っていた。皆が見舞いに持ってきたのである。

「いやあ、マッカランがある。私もこっちのご相伴《しょうばん》に与《あずか》りたいなあ」

貝谷はにこにこして、もう一方のポケットからハーシーのキスチョコの袋を取り出した。

「関根さんはこれでしょう」

二人でカサカサ銀色の包み紙を開けながら、白黒写真に見入る。

多佳雄はその写真を裏返した。ポストカードだ。住所と宛名と、去年の六月の消印。あとは何も書かれていない。本文がまったくない。貝谷毅《つよし》様。すっきりと書かれた万年筆の文字。

「――女のような字だけど、男かな」

「そうです」

「沈着冷静と見せかけて激情家」

「ほう。どうして分かりました」

「さあ。なんとなく。私はホームズじゃないからね。でも、思い切ってペンを走らせている割に、よくみるとインクの滲《にじ》んだところをとても丁寧《ていねい》に削って、ちょっと見には分からないくらい巧妙に直してあるからそんな気がしただけさ」

「ふうん。あとはどうです？　これを書いたのは誰だと思われますか」

「えっ、実は有名人なのかい？　うーん。これだけじゃねえ」

多佳雄は手を伸ばして、葉書をかざしてみせた。

貝谷は膝の上に腕を組み、ウイスキーの入ったプラスチックのコップをじっとのぞきこみつつ多佳雄の答を待っている。

「一つ言えるのはだね。この葉書を書いた男は君を憎んでいるね」

貝谷がぴくりとするのが見えた。

「それも、実に複雑な感情で。ほとんど愛情に近いと言ってもいいんじゃないかな。本人も自分の感情がうまく説明できないに違いない。私がこの葉書から受ける印象はこれだけだね。で、正解は？」

多佳雄はチョコレートを口に投げこむとウイスキーをぐいと呷った。やっぱり、人間を目の前にして話をしながら酒を飲むというのはいいものだ。

「――これを書いたのは室伏信夫《むろふしのぶお》という男です」

貝谷が静かな声で答えた。

多佳雄は首をひねった。はて。共通の知人にそんな男がいただろうか？

「もう何年も前の話ですがね。九人の男女を殺して、自分の家の庭や床下に埋めていた男がいたのを覚えてらっしゃいます？　『恐怖の館』なんて呼ばれてましたっけね――現在は死刑が確定して塀《へい》の中です。その男が、毎年夏になるとこの葉書を私に送ってくるんですよ」

多佳雄はかすかなショックを受けたのと同時に、そんなつまらないことを考えた。

不意に部屋の中の酒臭さに気が付いた。看護婦が来たら、さぞかし怒るに違いない。

「そんなに親しかったのかね、その男と」

多佳雄は尋《たず》ねた。

「なんといったらいいのか――彼のほうは私を知っていたらしいんですね。彼の友人が私の知り合いだったんです。なぜか分かりませんが、彼は私に興味を持ったらしくて、私に強く会いたがったんです。刑が確定してから何度か面会に行ったことがあります。いつも他愛のないお喋《しゃべ》りをしてね」

貝谷は当惑したように言葉を選びながら話した。

多佳雄は記憶の底から、当時の事件のセンセーショナルな報道を思い出した。ＴＶで見た映像も思い出した。非常に落ち着いた、平凡な顔をした中肉中背の男だった。

自宅の周《まわ》りに多くの死体を埋めていたという猟奇的な点が好奇心を煽《あお》ったのはもちろんだが、もう一つの点で事件は人々の注目を集めた。室伏信夫は医者だったのである。

医者といってもピンからキリまでいるが、室伏信夫は家族もなく天涯孤独の身で、いわゆる一匹狼タイプの医者だった。評判はよく、チェルノブイリの事故現場周辺や、アフガニスタンやカンボジアなど、世界の紛争地域にも進んで身を投じ、繰り返し医療活動に従事していた、非常に人望のある医師だったのだ。

彼を慕《した》う人々が私費を投じて大弁護団を組もうとしたが、彼はそれを断わり、国選弁護人を頼んであっさりと罪を認めた。九人の死体が揃《そろ》い、物的証拠は山とあり、犯人は理路整然と解釈を加えている。しかも、彼はそれを自《みずか》らの快楽として行なったことを強調したのである。弁護の余地はなかった。裁判は異例の早さで結審した。

「――被害者はてんでんばらばらでしたね。予備校生の男の子から町工場の経営者、区役所の職員、サラリーマンに普通の主婦。それが余計、行きずりの快楽殺人であるという彼の主張を裏付けた。とはいってもまったくの初対面ではなく、仕事柄顔の広い男でしたから、知り合ってしばらくしてから殺している。どちらにしても残酷な話だ。会ってみて、どんな男でした？」

多佳雄は貝谷のコップにウイスキーを注《つ》いだ。

「とてもね、魅力的な男でしたよ。静かで言葉少ななんだけど、ふうっと引き込まれそうになるんです。カリスマ的というんじゃなくってね。そういうファナティックなうさん臭さはなくて、むしろ、一緒にいると心が凪《な》いでくるような感じでね。何もかも打ち明けたくなるような男なんです。ハンサムじゃないし、見た目はただのくたびれた中年男なんだけど、非常に人間的な吸引力のある男だった。正直に打ち明けるとね、私も何回か会ううちに彼に会うのが楽しみになったくらいなんです」

貝谷は誰もいないのに声をひそめた。

「貝谷毅にそこまで言わせるとは相当なタマだね。確かに一部の犯罪者には魅力的な人間が存在するがね。本当に彼が九人を殺したのかい？　誰かをかばっていたという可能性はないの？」

「それはないです、ほんの一パーセントも。捜査も裏付けも完璧です。疑いの余地はありません。だから私は、自分の人間を見る目に自信をなくしたというわけです。この男は本当に二重人格なんじゃないかと真剣に考えたくらい」

「『考えた』というのは過去形だね。今はそう思っていないわけだ。さて、この葉書が来るようになったのはいつからかね？」

多佳雄は人差し指を唇に当てた。

「もう五年になります。私の仕事が忙しくて彼を訪ねられなくなってからですから。いつもこの写真。まったく同じポストカード。そして、住所と宛名だけ」

ふと、多佳雄の頭を、当時の新聞や雑誌の記事がよぎった。


室伏信夫の証言。

やがて、わたくしは自分の衝動を抑えきれなくなりました。人を殺したいというのはわたくし自身の性《さが》であったらしく、人を殺《あや》めることによってわたくしの内部の均衡《きんこう》を保たねば日々を生きていくことができなくなったのであります。一方で、毎日接していた患者さんに対しては、治ってほしい、元気に立ち上がって退院していってほしいという強い希望を依然として持っていました。むしろ、人を殺めるようになってからますます強くなっていったように思えます。それはわたくしにとって矛盾《むじゅん》したことではなく、それぞれがお互いの反動といいますか、代償といいますか、なんといったらいいのか分かりませんけれども、日光を奪い合う森の木々が競って背を伸ばすかのように、比例して強くなっていったのでありま す——

また、当時の弁護人のコメントも。

遺伝子異常で三つも目のある奇形の牛やお化けのように成長したスミレ、そういった牛の牛乳を飲み、移住することもできず汚染された地域で暮らして、ばたばたと放射線障害で倒れていく子供たち。満足な診察もできない、医薬品もほとんどない。または、無差別に打ちこまれる砲弾で、女子供ら非戦闘員が毎日殺される明日をも知れぬ世界。そういった世界と日本とを彼は行ったり来たりしておりました。かたや彼の日本での医療現場では過剰なまでの薬漬け医療が行なわれております。企業が群がり巨大な金が動くのとはうらはらに、看護婦さんや看護を要する老人など末端に存在する人々に対しては、一本の指も動かさない冷酷な世界。そういった両極端な世界を行き来する生活は、人一倍正義感の強い彼にとって非常に不条理なプレッシャーとなったことは想像に難くありません。それがやがて彼の精神を蝕《むしば》んでいったとしても、我々に彼を責める言葉があるのかどうか——

「——何年も葉書が来るうち、私は疑いを抱くようになりました。これは、彼のメッセージではないか。つまり、私は、彼には動機があったんじゃないかと思うんです。彼の言うような無差別な快楽殺人ではなく、何か目的があって九人を殺したんじゃないかと」

「目的？」

「ええ。被害者の九人には何らかの共通点があるのではないかと考えたわけです」

「あれだけてんでんばらばらの九人に？」

「そうです」

「それを推理するには、手持ちのカードが少なすぎやしないかい？」

「それは否定しません。私の持ってる知識以外に情報はないわけですから」

貝谷は懐《ふところ》から写真を取り出した。被害者の写真らしい。

「当時の雑誌などから集めたものです」

いろいろな写真が手渡された。多佳雄は一枚一枚丁寧《ていねい》に見ていった。

どれも普通の人々だった。作業着姿の中年男性。

「では、順番に解説してみましょう。これがAさん。江東区《こうとう》でメッキ工場を経営していました。当時五十四歳」

次は、三十代くらいの男性だった。背広姿で、電話を取っている。がっちりした、気さくそうな青年である。

「Bさん。N電気のサラリーマン。勤め先は港区《みなと》。大田区《おおた》のアパートに一人暮らしをしていました。当時三十一歳」

白衣を着た初老の女性。ぽっちゃりとしていて、静かに笑っている。

「Cさん。中野区《なかの》の薬局に勤めていた。埼玉県から通勤。当時五十六歳」

次は、数人の若者の写真だった。一人に印が付けてある。にきび面《づら》で茶色っぽい髪の、典型的なティーンエイジャーだ。平凡な顔だち。見たそばから忘れそうな顔。

「Dさん。代々木《よよぎ》の予備校に通っていた。家は柏市《かしわ》。当時十九歳」

何かのコンサート会場だろうか、ワンピースを着て建物の前に立つ女性。長い黒髪。清潔な雰囲気の、若い女性だ。

「Eさん。豊島区《としま》役所に勤めていた。当時二十四歳」

次々と写真をめくっていくと、それぞれの違う人生が浮かびあがってくる。あらためて九人という数字の大きさに愕然《がくぜん》とする。これだけの人間を殺すのは、大変なことだ。物理的にも、精神的にも。皆、大の大人なのだ。殺害方法はなんだったっけ？　薬殺だ。数回話して信用させてから、疲労によく効くビタミン剤だと偽《いつわ》って注射をしたという。人によっては、自宅に呼んで睡眠薬入りのお茶をすすめてから注射をしていた。

やはり、室伏という男は異常だ。人間を殺すというのはよほど歪《ゆが》んだ情熱や衝動がない限り、果たすことができない。ましてや何人も殺し、死体を隠匿《いんとく》し、毎日患者を診《み》るなんて、細心の注意を払ってもやりとおせるものではない。それを九回も――

「Fさん。中堅の医療機器メーカーの会社役員。この人が最初の被害者でした。当時五十八歳」

社員旅行の宿泊先の写真らしい。浴衣《ゆかた》を着て、グラスを手に持っている。眼鏡をかけて、温厚そうな男性である。

「Gさん。税理士。新宿《しんじゆく》区で友人と事務所を持っていた。当時三十九歳」

スラリとした長身の男性。聡明そうな瞳。顧客と撮ったものらしく、にっこりと笑ってみせていた。自信に溢《あふ》れた表情。

「Hさん。目黒《めぐろ》区に住む主婦。当時四十五歳」

入学式の写真らしい。緊張した面持《おもも》ちの男の子と一緒に写っている。優しい微笑を浮かべた、どこにでもいる主婦だ。

「そして、Iさん。Tデパートの食器売り場を担当。当時四十三歳」

でっぷりと貫禄のある、如才《じよさい》なさそうな男性だった。ダブルの背広がはちきれそうだ。

多佳雄はしげしげと写真を眺めてから、ばさ、とベッドの上に投げ出した。

「本当にばらばらだね。みんな彼の患者だったのかい？」

「ええ。彼は大学病院の勤務医でしたからね。どれも入院するような病気の患者ではなく、風邪《かぜ》とか下痢《げり》とかそういう程度で診察した人間らしいです」

「みんな遠くから来るんだね、近所の病院に行かずに」

「今は誰でも、いきなり大学病院に行きますからね。ブランド名の入った大学病院で診てもらいたいというのがあるんじゃないですか」

「ふうん。仕事も年齢もばらばら。ただ一つの共通点は、彼の患者だったということだけ。住んでるところも皆違う。殺された九人が互いに知っていたという可能性は？」

「ほとんどゼロに近いと思います。九人が何か共通の事件に関わっていた可能性は捨ててよさそうです。まったく接点がないことは、当時の調査で確認済みですから。弁護側も必死に調べたらしいです、何か弁護に使える動機がないかって。でも駄目だった」

「それでも君は、彼に動機があったと思うのかね？　そんな徹底した調査があったにもかかわらず」

あきれたように尋ねる多佳雄の顔を見ながら、貝谷は苦笑した。

「そうなんです。カンとしか言いようがないんですが。どうもそんな気がしてならないんですよ。あの葉書を見る度《たび》に、その確信が強まるんです」

「君の得た情報で、本当に彼等に共通点はないのかね」

「ないです。同じ店を使っていたとか、同じ病院で生まれたとか、同じ宗派だとか、共通の知人がいるとか、同じ車を使っていたとか、同じ趣味があったとか、そういう点でもかなり突っ込んで調べたんですけどね。強《し》いて言えば、みんな普通の人である、何の問題もない、可もなし不可もなし、それくらいなんですよ。だから、関根さんに印象を伺いたいんです。私の気が付いていないところがあるんではないかと」

「そんな無茶な」

今度は多佳雄が苦笑した。九枚の写真をぱらりとシーツの上に広げる。九人の顔が並ぶと、またしても殺された人々の人生が身に迫った。しかし、彼等は何も語りかけてはこない。溜め息をつく。

だが、ふと彼は何となく奇妙な感じを受けた。

「似ているね」

「何が？」

「この九人だよ。顔とか容姿じゃなくて、こうして並んでいると、なんとなく印象が似てる。その人の醸《かも》し出す雰囲気が似てるんだ」

「そうですか？　そんなことは考えたこともなかったな。それが共通点ですか？　性格が似てるとか」

「いや、性格というんじゃなくてねえ。みんな同じことを考えてる、みたいな顔なんだよねえ」

「はあ」

貝谷はぽかんとした顔をしている。目の前の年寄りがとんでもないことを言い出したと思っているに違いない。多佳雄は自分の受けた奇妙な印象を説明しようといろいろ頭の中で言葉を探していたが、適切な言葉が見つかる気配はない。だが、こういう顔を知っているという確信だけは変わらない。再び溜め息をついた。

「休憩だ。共通点はちょっとおいとこう。室伏信夫は、長期に亘《わた》って殺人を続けていたんだね？」

「そうです。五、六年に亘って。彼がちょうど海外へのボランティアを始めた時期と一致しています。そういう意味では、やはり海外渡航が何らかのきっかけとなって彼のたがをはずしたというのは正しいのかもしれません。最初のうちは、一年に一人だったのに、最後のほうは間隔が狭くなってます。人殺しが癖《くせ》になるというのは本当ですね。捜索願が各々《おのおの》に出されていたのに、同じ人間に殺されていたとは、死体が発見されるまでまったく分からなかったんです」

死体の発見。多佳雄は当時の記事を再び思い出していた。

ある初夏の日曜日、室伏は家に友人を招待した。その友人は犬を連れていたのである。

ちょうど、数日前に死体を埋めたところだった。犬は、しばらくうろうろしていたが、やがてその箇所に走った。

「長年に亘って注意を払っていた割には、あっけない幕切れだったね」

「ええ。たまたま体調が悪くて、深く穴を掘れなかった。そのあとに、またしてもタイミング悪く犬を連れた友人が来た。運が悪かった、と彼は解説しています」

「その声の感じでは、君はそうは思っていないわけだね？」

「その通り。出来すぎた話です。よく話を聞いてみると、最後の殺人のあとに彼はわざわざその友人を家に誘っているんですよ。その友人が、休日は必ず犬を連れていることを知っているくせに。彼は見つけてもらいたかったんですよ」

「自首したかったということかね」

「まあ、そうですね。弁護士もこの点を強調していました。これは自首である、と。しかし、当時の彼は、あくまで友人は偶然来たと主張しているんです。確かに、誰かに見つけてもらいたかった、と彼もあとで言っていました。他人に止めてもらわなければ、自分はいつまでも人を殺し続けていただろうとも言っていました」

「そいつは処置なしだね。しかし、それが本当だとすると、彼に動機があったという説はあやしくならないかい？　その九人が何かの目的で殺されたならば、その目的の対象が他にもいっぱいあったことになる。だとすれば、やはり限りなく不特定多数の人々を狙った殺人であるという結論になるんじゃないかね？」

「うーん。自分の首を絞《し》めてしまったかもしれないな」

貝谷は唸《うな》った。

「奇妙な男だ。まるで死刑になりたがってるみたいじゃないか」

そうつぶやきながら、多佳雄は変なことを考えた。死刑になるためにはどうすればよいか。人を殺すことだ。それもたくさん。人をたくさん殺せば、国に殺してもらうことができる――ふと、被害者の九人の顔を見た時の奇妙な印象が再び頭をよぎった。はて、どうしてだろう？

「私のカンもあてにならないな。やれやれ、自信喪失ですよ」

貝谷はおどけながら小銭を取り出した。

「お茶でも買ってきます。また仕事に戻らなきゃならないし。酒臭くしてるとみんなに僻《ひが》まれる。そうそう、今となっては関係ない話かもしれないけど、最初の被害者の会社役員は癌《がん》にかかっていたらしいんですよ。室伏に会う前に、告知を受けていたとのことです。告知した医者は手術を勧《すす》めていたんですが、被害者は考えさせてくれ、といってそのまま連絡がなかった。何も殺さなくたって末期の癌だったのに、とその医者が言ってました」

貝谷は立ち上がり、病室を出ていった。

多佳雄は、今の貝谷の話を反芻《はんすう》していた。何かが弾《はじ》けたような感触があった。

何も殺さなくたってよかったのに。

人をたくさん殺せば死刑になる。

人をたくさん殺せば、国に殺してもらえる。

多佳雄は、シーツの上に散らばった写真に目を走らせた。

そうか。そうだったのか。


「——彼等は自殺志願者だったんだ」

お茶の缶を抱えて貝谷が入ってくるなり、多佳雄はそう言った。

「えっ」

貝谷は立ち止まった。そして、シーツの上の写真を見た。

「この九人がですか？」

再び椅子を引いて腰掛け、真剣な表情で多佳雄の顔を見る。

「そうだ。彼等の雰囲気の共通点は、恐らくそれだ」

「じゃあ、みんな自殺だったってことですか？」

「正しくは、室伏信夫に殺してもらったのさ」

「そんな」

「気になってはいたんだよ、自ら快楽殺人と称しながら、なぜ被害者に苦痛のない、そんな穏やかな方法で殺し続けたんだろうと。死体に損傷を与えていたという話も聞かないし。通常、快楽殺人なら殺す過程を楽しむはずだし、方法もエスカレートするはずだ。彼の方法では、ほとんど安楽死だ」

「信じられない。こんな若い子もいるのに。それに、被害者で自殺未遂をした者がいるという話もなかったですよ。自殺したがる人間はいろいろサインを見せるというじゃありませんか。そんな気配はみじんも」

貝谷は青ざめた。

「自殺志願者にもいろいろいる。サインを見せるのは、むしろ『死にたくない』人間だ。生きたいと思ってる人間は助けてもらおうと、いろいろ意思表示をするものだ。本当に深刻な自殺志願者はそんな素振りを見せない。明るく、普通に振る舞ってる人間がほとんどで、死んでからどうしてあの人がというほうが多い」

「こんなにたくさんの人間が」

貝谷は茫然《ぼうぜん》と写真を見下ろした。

「日本人の死因は、自殺が高順位を占《し》めてるんだよ。蛇《じゃ》の道は蛇《へび》。きっと、室伏が安らかに殺してくれるという話がひそかに流れていたんじゃないだろうか。それに、自殺したということを知られたくない人間も多いはずだ。自殺イコール敗北という思想は深く根付いているからね。自殺志願者にもプライドはある」

「家族の苦しみを考えなかったんだろうか」

「君だったらどっちがいい？　家族に自殺されるのと、他人に殺されるのと。どちらもつらいが、自殺されるほうがつらいんじゃないだろうか。残された家族は、自殺を防げたんじゃないかと自分たちを責めながら生きていかなければならないからね。それを不本意に思う自殺志願者もいたはずだ。だったら、運悪く何のゆかりもない非情な殺人者の手にかかって殺されたというほうが救いがあるのかもしれない」

「そんな。そんなことが」

二人はじっと九枚の写真を見つめた。共通の顔。自分の内部で密かに深く絶望し、死への誘惑に身を委《ゆだ》ねた人々。

末期癌を告知された会社役員。多佳雄にその仮説を与えたのは彼だった。これから始まる長い闘病、莫大《ばくだい》な費用、家族の負担、全身の耐え難い痛み、たくさんの管につながれ、もう燃える部分のないマッチ棒を無理やり燃やし続けるような最後の時間。それに耐えられる人間ばかりではないだろう。まだ苦しみのないうちに、安楽な方法で殺してもらえるならば、そちらを選ぶ人間もいるのではないか。

他の人々もそうだ。自殺したいと願ってはいても、自分を傷つけたり、電車に飛びこんだり山で遭難したりして、他人の手を煩《わずら》わすことに抵抗がある人もいるだろう。そうした自殺にお金がかかることは、日頃あちこちで喧伝《けんでん》されているからだ。いわく、電車を一分止めると数百万かかる。ヘリコプターをチャーターすると一千万——

「室伏はなぜそんなことを始めたんでしょうか」

貝谷がお茶の缶の蓋《ふた》を開けながら呟いた。

「さあねえ。彼がチェルノブイリやアフガニスタンに行ったことがきっかけだったのは確かだろうね。日常茶飯事で、虫けらみたいに人々が殺されていく世界。当然生きるべき権利のある子供たちからどんどん死んでいく世界。一方、日本はどうだろう。こちらは、死にたくても死ねない社会だ。生きろ。頑張れ。死ぬ奴は弱虫だ。どんな恥ずかしいことをしても、どんな苦しい思いをしても生きていることが大事なんだ」

多佳雄はお茶の缶を受けとり、カステラの包みを開けた。

「そういう価値観だけで解決できない人間もいっぱいいるだろう。それ以外の価値観を日本は全力をあげて切り捨て続けてきたからねえ。恥辱にまみれ、苦悩に神経をすり減らし、のたうち回るように生きていくのを拒絶するのが必ずしも悪いこととは思えないね。結局、残された者はいつも勝者の論理でしかものを見られないんだから」

「でも、この九人は、社会でも恵まれた位置にいた人たちじゃないですか。そんなのたうち回るような苦悩があったとは思えませんけどね」

「その人の悩みはその人にしか分からないのさ」

多佳雄は再び室伏の証言を思い出した。

それはわたくしにとって矛盾したことではなく……

確かに、難民キャンプで治療を施《ほどこ》すことと、絶望した人間に死を与えることとは、彼にとって矛盾していなかったのかもしれない。どちらも彼にとっては同じことだったのだ。ロシアでも、日本でも、それぞれに地獄がある。

「今思い付いたんですけど」

お茶を飲みながら貝谷が呟いた。

「関根さんは、彼が皆を救うために注射をしたと考えてらっしゃるようですけど、私は違うような気がします。彼はそんなに、全能の神のような思い上がった人間じゃない」

貝谷の目が少しだけ光った。

「というと？」

「彼はもう少し怒りをもってその作業をしていたような気がするんです。たとえそれがその人にとって重大な悩みであっても、爆弾で身体を吹き飛ばされるか、明日にも銃弾で撃ち殺されるかという人々と比《くら》べるならば、それはあまりにも優雅な悩みに過ぎないんじゃないですか。ただその場所にいたというだけで無理やり命を奪われることに比べれば、そんな些細《ささい》な苦悩で死にたがる彼等の弱さに、室伏は怒りを覚えていたんじゃないですか」

よろしい、そんなに死にたいのなら死にたまえ。自分で自分の始末をできずに無為に生き延びているだけなのなら、望みをかなえてやろう。しょせん、自分の手を汚せない連中。自ら死を望んでいるくせに、最後まで自分の手を汚さない。なのに、俺の手を汚すことには無頓着《むとんちゃく》なのだ。

最初にその望みを打ち明けられた会社役員の時は、末期癌を告知され、尊厳をもって死にたいという願いに心を動かされたのかもしれない。しかし、それを実行した時から、そういった人間たちが次々と彼の周りに集まってくる。彼が気持ちよく殺してくれるという闇の評判を頼りに。

「そういう意味では、確かに彼は殺したいという意思をもって彼等を殺していたのだと思います。人間的な殺意をもってね」

話がとぎれた。

「ちょっと、窓を開けてくれないかね。酒の匂いで息苦しい」

多佳雄が頼むと、貝谷はさっと立ち上がって窓を開けた。初夏の風がするりと入ってきて、白いカーテンを揺らした。

犬や猫なら舐《な》めて治すような傷を、こんなに豪華な個室で、今どこかで誰かが必要としているベッドを酒を飲んでふさいでいるとは。不意に口の中のカステラが苦くなった。

貝谷が写真を集めて懐《ふところ》に収めた。

最初のポストカードを取り上げて、あらためて見入る。

「今年はもう来たのかね」

多佳雄が尋ねると、貝谷は小さく左右に首を振った。

「もう、葉書は来ません」

「じゃあ」

刑が執行されたのか、と多佳雄が言いかけると、貝谷は再び首を振った。

「今、彼は意識不明の状態が続いているんです。時間の問題でしょうと弁護士も話していました」

「病気なのか」

「ええ。急性白血病でね。彼はその兆候に前から気付いていたらしい」

「チェルノブイリか」

「彼は事故直後から現地に入っていましたからね」

多佳雄は、貝谷の手からポストカードを取って眺めた。

「なぜ、彼は君にこの葉書を送ってよこしたんだろうね」

「さあね。彼はどことなく私とよく似ていました。性善説と性悪説が腹の中で同じ大きさで同居しているようなところがね。それを彼も感じとったのかもしれません」

「なるほど。確かに君にはそういうところがある——こうして改めて見ると、この写真には祈りのようなものが感じられるのは気のせいかね」

「だったらいいんですけど。関根さんが最初に言った、彼が私を憎んでいるという言葉にはぎょっとしましたよ。確かに私は法を司《つかさど》る立場ですからね。彼にしてみれば、彼と似ている私が法というものの裁く側と裁かれる側にいることがもどかしかったのかもしれない。そのようなことは何度かちらっと口にしていました」

「そうか」

写真の中の月はぽつんと淋しそうだった。果てしない沈黙の世界。人の気配のない平原。

エルナンデスの月の出。ニューメキシコ州、一九四一年。

もう一度タイトルを読む。ふと、何かが引っ掛かった。

ニューメキシコ州、一九四一年。

多佳雄は目を見開いた。

「一九四一年」

その口調に、貝谷が顔を上げた。

「太平洋戦争の始まった年だね」

「それが何か？」

「ニューメキシコ州と言えば、思い出さないかね？」

「いえ、別に」

「ニューメキシコ州には、ロス・アラモスという町がある」

「ロス・アラモス？」

「マンハッタン計画の進められた町だ」

貝谷はあっという顔をした。

「この数年後、アメリカは初めて核実験を成功させる」

その時からすべてが始まった。長いようで短く、短いようで長い、人類を自滅へと導《みちび》く、曲りくねってはいるが、確実に終点へと続いている道のりが。彼は確かに人類全体の緩慢なる自殺ということを、静かに暗示していたのである。そして、それが彼の動機であったということも。

草に埋《うず》もれた、無数の白い十字架が不気味な死の沈黙となって迫ってきた。それらの墓標を見守る孤独な白い月も、生きるものの面影を見ることはない。地上が無人となり、墓標が朽《く》ち果て、すべてが砂となって風に吹き払われても、小さな白い月は一人で澄み切った蒼穹《そうきゅう》に昇り続ける。

誰かに聞いた話

「うーん、誰でしたかねえ」

夕餉《ゆうげ》の箸《はし》を止めて、関根多佳雄《せきねたかお》は唸《うな》った。

「どうかなさいましたか」

テーブルの向こうで、妻の桃代《ももよ》がご飯のお代わりをよそいながらおっとりと尋ねる。

「今、突然変な話を思い出したんですけどね、その話をいったい誰から聞いたのか思い出せないんですよ」

多佳雄は当惑した表情で漬物《つけもの》に箸を伸ばした。桃代が茶碗を多佳雄の前に置く。

「あら。私なんか、このところしょっちゅうですよ。人の名前なんて特に駄目ですね。昔からのお友達はいいんですけど、困るのは最近知り合いになった方ですねえ。よく顔を合わせていても、パッと見た瞬間出てこないんですね。保険会社にお勤めのお友達が言ってたんですけど、長い間Aという方法で仕事をしてて、それをBという方法にした場合、すっかりBの方法で慣れっこになったと思ってても、何か非常事態が起きた時にとっさに出てくるのはAの方法なんですって。やっぱり、最初に覚えたもののほうが強いんですね。で、変な話というのはどういうお話なんですの？」

晩春の夕暮れ。外には温かい雨がパラパラと降っていて、どことなく眠たげな空気が茶の間にも漂《ただよ》っている。細く開いた窓べの一輪挿《いちりんざ》しの中の、紫の花びらが鮮やかだ。

「それがね、あなた。N町の永泉寺《えいせんじ》、あそこの大きな銀杏《いちょう》の木の根元にね、こないだ国道沿《ぞ》いの信用金庫に強盗が入ったでしょう、あの時盗まれた現金が埋められてるっていうんですよ」

「まあ」

「警察の非常線が予想以上に早かったんで、犯人は逃げきれないと思ったのか、それでひとまず目に付いたあの銀杏の木の根元に金を埋めておいて、掘り出す機会を狙《ねら》っているんだって」

「ずいぶん具体的ですね。まるで見てきたみたいじゃないですか」

「でしょう？　こんな話をした人を忘れるはずがないんですがね。しかも、話自体今の今まで忘れていたんです」

「聞いたのは最近ですか？」

「はい。恐らくここ二、三日以内だと思いますね」

「相手は男ですか、女ですか」

「それが、思い出せないんだな」

「電話でかしら？」

「うーん。違うなあ。目の前にいた人が喋《しゃべ》ったという印象があるんですけどね」

「ここ数日お会いになった方を挙げてごらんになったら」

「ええと――おとといー緒に飲んだのは、裁判所関係の連中だから、坂田《さかた》さん、篠沢《しのざわ》さん、富田《とみた》さん――昨日は浜松《はままつ》から来た堤《つつみ》先生――みんなよその人達だから、ローカルな銀行強盗の話題を出すとは思えないねえ。私から口にした記憶もないし」

「週刊誌の記事とか」

「まさか、こんな根も葉もない噂を」

多佳雄は考え疲れたと見え、顔をしかめてテーブルの端《はし》のグラスを取ると、底に残っていたビールを飲み干す。

雨足が強くなったようだ。パラパラという音がざああ、という連続音に変わっている。

桃代は彼女が何かを考えている時に見せるきょとんとした瞳で少しじっとしていたが、お茶の用意をしに立ち上がった。染付《そめつけ》の鉢《はち》を手に戻ってくる。

「忘れてました、昨日高瀬《たかせ》さんのお嬢さんにいただいた枇杷《びわ》ですよ」

「ほう、もう枇杷か。初物ですね」

染付の青に、ビロードのような枇杷の曲線がなまめかしい。多佳雄はちょっとの間その美しい果実を眺めてから、手に取って皮を剝《む》き始める。

「――昨日」

湯呑みにお茶を注《つ》ぎながら、桃代がぽつんと呟《つぶや》いた。

「あなた、あの時いらっしゃいましたよね。旬子《ときこ》さんが息子さんを連れて枇杷を持ってきてくださった時」

枇杷の果汁を音をたてて吸いながら、多佳雄が頷《うなず》く。

「うん。私は挨拶《あいさつ》しかしなかったけどね」

「あの時、何の話をしてたかしら――そうそう、茄子《なす》の育て方でしたね」

「茄子の育て方？」

「ええ。庭で茄子を育ててるんだけど、なかなかうまくいかない。園芸で、よく育つからと作物の根元に貝殻を置いたり、果物の皮を置いたり埋めたりすることがあるでしょ？　茄子で何かいい方法がないかしらって話をしたんですよ」

「ふうん」

多佳雄は枇杷を食べるのに夢中だ。桃代は淡々と話を続ける。

「それから、旬子さんの家に、隣の永泉寺の銀杏の木の葉が、まだ春なのにやけに青いまま落ちてきて掃除に困ってるって話もしたわ」

多佳雄はハッとしたように桃代の顔を見た。桃代もこちらを見ている。

「あなたはそれをどこかで聞いてらしたんだわ」

桃代は静かにお茶を飲んだ。

「そう。確か昨日の朝のニュースでしたね——犯人の足取りがN町の辺りで途絶《とだ》えているって言ってたのは。あなたはそれも聞いていて、記憶の片隅にとどめていた。あなたは旬子さんの話をどこかで聞いていて、それを一緒くたにして心のどこかで推理してたんですよ——銀杏の根元に何か大きなものが埋められているんじゃないか。大きなものが根っこを邪魔しているから、銀杏が水を吸い上げられなくて葉っぱが落ちてるんじゃないかって」

多佳雄はぽかんと口を開けた。

「そんな、あなた、まさか。いや、でも確かに」

枇杷を手に持ったまま、多佳雄はしきりに首をひねっている。

「それを、夕飯を食べていて思い出したんですね」

桃代は確信を持った声で呟いた。

「いやはや、興味深い話だが——もしそれが本当だとして、なぜ急に夕飯を食べていて思い出したんでしょうね」

多佳雄は相変わらず半信半疑である。

桃代はすっと窓を指差した。多佳雄は不思議そうに桃代の指差すところを見る。

「窓がどうしました？」

「窓じゃありませんよ。あの花。あれは昨日旬子さんが持ってきてくれた茄子の花です」

雨の音を背景に、可憐《かれん》な紫色の花が一輪挿しを彩《いろど》っている。

「ああ、そうですね。あれは茄子の花ですね」

多佳雄は初めて気が付いたというように小さな叫び声を上げた。

「あなたはここに入ってきてあの花を御覧になった。それで、昨日の旬子さんの会話を心のどこかで思い出していた——で、ご飯を食べる段階になってますますはっきり思い出されたというわけですわ」

桃代はなぜかくすりと笑った。

「ご飯を食べる段階になって？　何がおかしいんです？」

「いえね、あなたがあまりに分かりやすい連想をされるものだから」

くすくすと笑う。

「今日は筍《たけのこ》ご飯だったでしょ」

多佳雄は目の前の茶碗を見下ろした。ご飯粒と筍のかけらが茶碗の中にこびりついている。再び声を上げる。

「ああ、なるほど」

「そう。あなたはご飯をよそわれて目の前に出された時に、『筍』の字を思い浮かべたんです。この中に旬子さんの名前が入ってますものね。おまけに、筍を竹の根元から掘り起こすところまで連想したんですよ」

多佳雄はううむ、と唸《うな》った。ぐびりとお茶を飲んで尋ねる。

「――で、高瀬さんのお嬢さんは、何の用でいらっしゃったのかね？」

「週末に引っ越しされるそうで――そのご挨拶にいらしたのよ。なんでも、ご近所の噂ではご主人が事業に失敗されて、随分《ずいぶん》負債を抱えているようですよ。会社を畳んで、ご主人の郷里に帰れるとか」

多佳雄の顔にみるみるうちに疑惑と驚愕《きょうがく》の表情が浮かび上がった。

「おい、まさか――まさかね」

桃代は小さく肩をすくめて、食卓を片付けにかかった。

「誰かに聞いた話ですからね。本当のところはどうか知りませんわ」

廃園

むせ返るような薔薇《ばら》の香りに迎えられた午後だった。

夏と呼ぶにはあまりにも早過ぎる季節だったが、正午を過ぎて気温はぐんぐん上昇した。

彼は裏木戸を押し開けてその絢爛《けんらん》の中に足を踏み入れた。

木戸に下げてあった鈴が、ちりんと鳴った。ぴくりとする。前は、こんなもの無かったのに。

空は爆発したような青だった。むっと押し寄せる薔薇の壁。豪華な悪夢の中に迷い込んだような感覚。既《すで》に、シャツの衿《えり》はぐっしょりと疲労を伴《とも》なった汗に濡《ぬ》れていた。

どの茂みにも、びっしりとこぼれそうな薔薇が溢《あふ》れていた。今にもむくむくと増殖して全身にまとわりついてきそうなほどだ。

——来て。

彼の頭の中には、その声が響いていた。

——来て。裏の木戸を開けて、来て。

薔薇が囁《ささや》いている。すべての花びらがあの声で囁く。

――来て。あたしを憎んでいるなら。あたしを哀れんでいるなら。

さざなみのようにあの声が押し寄せる。薔薇の壁の向こうに、あの声が待っている。

――来て。あたしを殺しに、来て。

彼は薔薇の嵐の中を、熱に浮かされたように歩いて行く。

関根多佳雄《せきねたかお》は、木戸を押し開けようとしてハッと手を止めた。

古びて灰色になった木戸は、打ち付けられた釘と幾重《いくえ》にも巻かれた針金でしっかり固定されていたのである。

「関根さん」

離れたところから声がした。

顔を向けると、塀《へい》の角から髪の長い女が顔を出して手を振っていた。一瞬、結子《ゆうこ》が手を振っているのかと錯覚したが、そんなことは有り得ないことに気が付いた。

結花《ゆか》だった。結子の末娘である。

「そっちはもう締め切っちゃったの。こっちから入ってください」

はきはきした結花の声は、多佳雄を急速に現実に引き戻した。それと同時に、寒さが背中を這《は》い登ってくる。こんな冬空に、真夏の空の幻を見るとは。多佳雄は苦笑しながらコートの衿を合わせた。あの時の衿は、シャツの色を変えるほど汗で湿っていた。

その汗の匂いを蘇《よみがえ》らせようとすると、むっとするような凶暴な薔薇の香りが覆《おお》いかぶさってきて、記憶の奥に鮮やかな眩暈《めまい》が起きる。

匂いというのは、ダイレクトに記憶を刺激するものだ。もう三十年以上も前の情景がまざまざと浮かんだことに、多佳雄はかすかに狼狽《ろうばい》していた。同時に、あの時感じた後ろめたさや刹那《せつな》的な気分が記憶の底の蓋《ふた》を押し上げて現われようとしていることに気付き、胸の片隅にうずくような痛みを覚える。

蜂《はち》が、飛んでいた。

土には水が撒《ま》いてあったらしく、かすかにぬかるんでいた。それが午後の太陽の照り返しと共にすさまじい勢いで蒸発し、耐え難い暑さを引き起こしていた。

近付いてくる蜂の羽音が、神経に障《さわ》った。

ぶぅぅぅぅぅぅんという耳障りな羽音が、肩の辺《あた》りで繁雑に行き来する。

それが無性《むしよう》に嫌だった。空中にかすかに上下しながら浮かんでいる蜂を心の底から憎悪した。今にも拳《こぶし》がぶるぶる震え出すのではないかと思うほど、蜂が憎かった。

思い切り腕を振り回した。振り回した腕が薔薇にぶつかり、花びらがちぎれて宙に舞った。チクリと黒い染みのような痛みを感じた。手の甲に、すっと一本、短い赤い線が走っていた。

「えらい変わりようでしょう、もう庭も全然よ。あの時以来木戸も温室も締め切って、何年も放置してあったから」

結花は多少わざとでもあろうが、さばさばした無愛想な口調で多佳雄を家の中に招き入れた。

主《あるじ》を失った家の荒涼感は拭《ぬぐ》うべくもない。調度品はそのままであるものの、寒々しい沈黙があらゆる箇所を覆い尽くしている。記憶の中の、明るい夏の陽射《ひざ》しの中にある家との落差に戸惑いながら、多佳雄はゆっくりと帽子を脱いで後ろ手に玄関の扉を閉めた。

「お母さん、本当は関根さんに一番逢《あ》いたかったんじゃないかな」

結花はやかんをコンロに載《の》せながらぼそりと呟《つぶや》いた。

長い間、元栓を締めていたために、ガスに火が点《つ》くまで、一瞬間《ま》があった。

「そうかな」

何気なく返事をして、多佳雄はゆっくりと縁側に向かって歩いて行った。

庭にはまったく色彩がなかった。常緑樹の葉すらも、この陰鬱《いんうつ》な曇天《どんてん》の下では灰色に沈んで見えた。その向こうに、荒れ果て乾いた塊《かたまり》がうずくまっていた。

結子は最後まで多佳雄の見舞いをかたくなに拒《こば》んだ。容色の衰えた、病気やつれした自分の姿を見せたくなかったのだろう。その癖《くせ》、夜中にこっそりベッドを抜け出してきては公衆電話から電話してきた。不思議と、声だけは昔のまま艶《つや》やかだった。声を聞いていると、あの悪戯《いたずら》っぽく、それでいて投げやりな少女の頃の結子の姿が浮かんできた。

その最後の日々の数回の長電話で、二人は長ながと思い出話をした。

従兄弟《いとこ》どうしだった彼等が、正月や夏休みに過ごした時間のことがその大部分を占《し》めた。不思議とその会話に悲愴感はなかった。ぽかりとシャボン玉が浮いているような乾いた明るさが二人の会話を彩《いろど》っていた。二人は楽しんでいた。しばしば声を出して笑った。もうこの年になると、別れを避けることが出来ないこと、それが目の前に迫っていることをごまかすことができなくなってくる。それは未知のものであると同時に、当たり前の顔をして、すぐそこの敷居を跨《また》いだところに絨毯《じゅうたん》みたいに敷かれているのだ。

結花も、母親が多佳雄に自分の姿を見せたくなかったことを知っている。しかし、それでも訪ねてきてくれなかった多佳雄に恨《うら》みがましい気持ちを抑え切れないでいることも確かだった。

「どうするのかね、ここは」

多佳雄はもつれるように地面に降りてきた二羽の小鳥に目をこらしながら尋ねた。

「さあね。結貴兄《ゆうきにい》はマンションにするつもりらしいけど。本人は隠しているつもりでも、こそこそディベロッパーが出入りしているのが見え見え」

結花は腹立たしげに呟き、丈《たけ》の長いカーディガンのポケットからくしゃくしゃになった箱を取り出すと、煙草《たばこ》にコンロの火を移した。

彼女は離婚して、高校生の息子と一緒に先月ロンドンから帰ってきたばかりだった。

ガスコンロの前に立って、窓に向かって煙草を吸う姿が幼い。

——薔薇の中にニョロニョロが立ってたの。

あれはいつのことだったろう。

結子は人に対する好き嫌いが激しかったくせに、家に人を呼ぶのが好きだった。わざわざ仲の悪い人間どうしを呼び、場が緊張するのを楽しむのだ。

まだ結花は小学生だった。その夜も、曰《いわ》くありげな客たちが部屋の中を歩き回っていた。当時結子と夫の仲は険悪で、結子はそのことをわざわざ自分でネタにして客たちにひきつった笑いを起こさせることに熱心だった。

結花はその空気を敏感に感じとってか、大人びた赤いワンピースを着て無邪気に歩き回っていたものの、いつしか庭に出て行ったものらしい。

その夜の庭で、彼女は白いニョロニョロを見たという——ニョロニョロというのは、トーベ・ヤンソンの児童文学『ムーミン』に出てくるサボテンのような形をした白い魔物のことである。確かに、多佳雄は彼女にその本を贈ったことがあった。

——嘘じゃないわ。絶対に見たの。白いニョロニョロが、薔薇の茂みの向こうに立ってたんだから。

真っ青な顔をした少女はかたくなで、最初は無邪気な座興《ざきよう》と受け取っていた客たちもやがて白《しら》けるほど頑固だった。何より結子が腹を立て、少女を追い立てたほどだった。

「あの時、結花は本当にニョロニョロを見たのかい？」

多佳雄の唐突な質問に、結花はきょとんとしたように振り向いた。そこには、泥沼になった離婚訴訟をしぶとく戦ってきた女の顔があるだけである。

「ああ」

思い出したように、結花は大きく頷《うなず》くと、やかんの湯気に向き直ってあっさりと答えた。

「嘘よ。そんなもの見るはずないじゃない」

「じゃあ、あれは狂言だったのか」

「そうね。あたしの精一杯の抵抗ってやつ？　あのパーティで、お母さんは随分《ずいぶん》お父さんを悪者にしていたわ。あの人は皮肉やあてこすりにものすごい才能があったから、お父さん、全然言い返せなくてあたしはすごく腹を立てていたの。でもね、あたしは知ってたの。当時、お母さんには若い恋人がいてね。仕事でお父さんがいない時、あたしには分からないだろうと思っていたのか、よく夜の庭でこっそり逢ってたわ。馬鹿ね。相手を誰だと思ってるのよ、他ならぬあんたの娘なのよ。騙《だま》せるわけないでしょ。だから、あたし、お母さんが恋人に逢った夜の次の日はこう言うことにしたの。『ねえ、ゆうべ庭にニョロニョロがいなかった？』。あのパーティにも、知らん顔してその若い男が来てたわ。だから、あたし、わざとその男に向かって『ニョロニョロがいた』って言い張ってやったの。お母さんはその意味がよく分かってたから、あんなに怒ったのよ」

結花は小さく鼻を鳴らして煙を吐き出した。

多佳雄は思わずクックッとふくみ笑いを漏《も》らした。

「いや、ほんとに――まさに親子だね」

「ふふ」

結花は、結子によく似た悪戯っぽい笑みを浮かべた。

ぎくしゃくしていた他人行儀な空気がほぐれ、お湯が沸いた。

結花は改まった顔で紅茶を淹《い》れ始める。

「――で、もう分かってるでしょ。あたしが関根さんに何を聞きたいのか」

結花は真顔でカップを多佳雄の前に置いた。

「あたしが知りたいのは、あの日あの庭で何が起きたかってことなの」


そんなに大きな庭ではなかったはずだった。が、隙間《すきま》なく花に埋もれた薔薇の壁の間を歩いて行くうちに、徐々に方向感覚が狂ってきていた。

もしかすると、彼自身も少しおかしかったのかもしれない。どう思い起こしても、あの時の自分は普段の自分とはまったく別の生き物だったような気がする。オレンジ、白、ピンク、白、白、ピンク。パステルカラーの色彩の洪水。色彩は暴力だ。花は魔物だ。

それにしても、よくこんなにいっぺんに花が咲き誇ったものだ。この暑さのせいだろうか。こんな花盛りの一瞬に居合わせることなど、生涯に一度あるかないかではなかろうか。この世には、花を見られる者と見られない者がいるのだ。このような幸運をこんなところで使い果たしていいのだろうか、と彼はちらりと考えた。

ぶぅーんという音がした。

また蜂だろうか?

彼は足を止めた。

太陽が降ってくる。太陽の下で、彼は一人だった。炸裂《さくれつ》したような青空は底が見えなかった。

彼は恐怖を感じた。

ぶぅーんという音が少し離れたところで鳴り続けている。


「――いや、むしろ、それは私が聞きたい」

多佳雄はゆっくりとカップを皿の上に置いた。

結花は片方の眉毛をちょっとだけ吊り上げた。

「え?」

その表情は不満そうである。

多佳雄は小さくてのひらを結花に向けてみせた。

「結花がどんなふうに思っていたのかは分からないが、あの日の朝、私は突然結子に呼び出されたんだよ」

「お母さんに？」

「うん。私はたまたまその日は暇《ひま》だった。職場に電話がかかってきて、一方的に話しかけられたのさ」

——あたしよ。結子。今すぐ、あたしの家に来て。今すぐよ。絶対に来てちょうだい。

声は、多佳雄の返答を待ってはいなかった。その調子には、どことなく聞く者の背筋をぞくりとさせるような響きがあった。多佳雄は、結子の様子が尋常でないことに気付いた。

——裏の木戸を開けて、来て。あたし、庭にいるから。

声は畳みかけるように続いた。それは多佳雄の頭上を越え、どこか遠いところにいる別の多佳雄に呼びかけているようでさえあった。

——来て。あたしを憎んでいるなら。あたしを哀れんでいるなら。

しかも、その声は多佳雄が来ることを確信していた。それはご神託《しんたく》のように多佳雄を揺すぶった。その時既《すで》に、彼は行くことを決心していた。

——来て。あたしを殺しに、来て。

電話はそこで切れた。

「それで、関根さんは来てくれたのね」

結花はテーブルの上で腕組みをしながら、くいいるように多佳雄を見つめていた。

「うん。行った。私は運命論者ではないけれど、何やら嫌な予感がしたからね」

不安な気持ちを押し殺し、多佳雄は早退して電車に乗った。その間にも、太陽はぐんぐん輝きを増し、気温は上昇していく。駆り立てられるように彼はその家に向かった。

「当時、結子が不安定な状態にいるのは知っていたから」

多佳雄が呟くと、結花も視線を落とした。

「そうね。お父さんも去り、恋人も去り。あたしから見てもしんどそうだったわ。あたしはどちらかと言えばお父さんの味方だったから、思いっ切り反抗的だったしね」

つらそうに笑う。多佳雄は続けた。

「私は言われたとおり、庭に入って結子を探した」

蜂はどこかへ去ったようで、静かになった。

彼は溜め息をついて汗を拭《ぬぐ》うと、汗でぐっしょり濡れたネクタイをゆるめ、薔薇の群れを見渡した。ここに着いた時から気分は優《すぐ》れなかった。急に暑くなったせいか、頭ががんがん痛む。

足元には、驚くほどたくさんの花びらが散っていた。盛りを迎えたそばから、力尽《つ》きていくかのようだった。花びらを掃《は》いたのだろうか、地面には幾つもの筋がついている。

薔薇の死骸の中を進むのだ。薔薇の屍《しかばね》を越え、俺は彼女に逢いに行くのだ。

ふと、そんな連想が頭をよぎった。

彼はいつしか、すっかり庭の中で迷っていた。

何度も来たはずの庭だった。しかし、咲き誇る薔薇の壁、押し寄せる凶暴な薔薇の香りが彼をすっかりパニックに陥《おとしい》れていた。そのことを自覚したことで、彼はますます迷い続けた。果てることのないパステルカラーの迷路の中を、彼はさまよい続けた。

「そう。今考えても信じられないくらい、随分庭の中をさまよっていたよ。あの時、私はどうかしていたね、客観的に見ても。だから、最初に結子を見つけた時も、自分の目が信じられなくてぼんやり立っていたよ」

そして、多佳雄は薔薇の迷路の片隅に、倒れている結子を発見した。彼女は農薬を吸い込み、昏倒《こんとう》していたのである。自殺を図《はか》ったものらしい。そこでようやく我に返った多佳雄は家に駆け込んで救急車を呼び、結子を母屋《おもや》に運び込んで介抱《かいほう》した。結子は一命をとりとめたが、完全に回復するまでかなりの時間がかかった。

「あの人が自殺なんかするわけないわ。いつだって、誰かに愛してほしくてたまらなかっただけよ。自分は人になんにも与えなかったくせに」

結花が乾いた声で呟《つぶや》いた。

多佳雄は沈黙でそれに答える。

「ね、庭に出てみない？　もう見納めかもよ。それでもお母さんの庭だわ。薔薇もないし、何もないけれど。関根さん、見届けてやって」

結花が、自分を元気づけるように席を立った。

「そうだな。考えてみると、この庭を冬に訪れたことなんかなかったな。結子はいつも薔薇が咲きそろった季節に呼んでくれたから」

多佳雄もゆっくりと立ち上がった。


庭は、今となっては小さく見えた。薔薇であったかも分からないすすけたカサカサの植物の残骸がみすぼらしくうずくまっているだけである。

大きなひらべったい、かすかに青みを残している植木鉢が葬列のようにえんえんと続いている。時折地面に降り立つ雀《すずめ》たちも、余計侘《わび》しさをつのらせる役回りでしかない。

「こんなにこぢんまりした庭だったんだねえ。昔はものすごく広く感じたけど」

多佳雄はコートのポケットに手を突っ込み、感慨深げに灰色の庭を見渡した。

「あたしなんか、もっとよ。あたしにとっては、この庭が宇宙ぐらいに思えたわ」

結花も遠い目をして呟く。

「ずっと勘違いしてたな——私はずっと、薔薇の茂みだと思っていたんだよ。みんな、鉢に植えてあったんだね。あまりにも見事に咲きそろっていたから、地面から生えているんだとばかり思っていた」

多佳雄はそう呟いて、ふと違和感を覚えた。

結花は自分の思い出に浸《ひた》っているようだ。少女の瞳になって、ふらりふらりと歩き回っている。

「叱《しか》られた時も、友達と喧嘩した時も、あたしはこの庭の隅っこでうずくまって泣いたわ。お父さんたちが罵《のの》り合いをしている時もね。不思議なもので、ここでじっとしていると気が晴れたの。土とか葉っぱとかが、すうっと嫌な気分を吸い取ってくれたわ」

結花は枯れた枝にそっと手を触れた。

「ここにはあたしの涙と憎悪が何年分も染み込んでるの」

「――君たち親子はいつも庭にいたという印象があったね。よく玄関にスケッチブックが置いてあった。色鉛筆でこう書いてあるんだ。『お庭にいます。そのまま家を通り抜けて庭にお進みください』。今となっては不用心だったなあと思うが」

低く呟く結花の声が聞こえなかったかのように、多佳雄は声をあげた。

結子の字を思い出す。玄関のスリッパの脇に、スケッチブックが広げて置いてあるシーンが目に浮かんだ。字の書かれた白いページの上に、摘《つ》んだばかりの花がさりげなく一輪添《そ》えられていることもあった。

結子はいつも庭にいた。長い髪が背中にこぼれ、日の光を浴びてきらきらと輝いていた。

こっそり多佳雄が近付いていても、彼女は途中で必ず気が付いてしまう。

振り返る結子。庭で振り返る時の結子は、最も彼女が魅力的に見える瞬間でもあった。本人もそのことを自覚していたに違いない。記憶の中の彼女が、何度も何度も多佳雄に振り返ってみせる。

結花は目に焼き付けるようにゆっくりと庭を眺めていたが、ぐるりと身体を回すと、懐かしそうに庭の隅にある小さな温室を指差した。

「ほら、あそこにチェーンがあるのが見える？　あの温室は、天窓が開くようになってるのよ。モーターでチェーンをゆっくり巻き上げるのが面白くって、あたし、いろんなものを引っ掛けて遊んだわ。いつも一人。一人遊びばかり」

結花は後ろで手を組んで、庭を歩き始めた。

「――お父さんも恋人もなくして、お母さんはとても焦《あせ》っていたわ。あの人は一人では生きていけない人だったからね。早く誰かを手元に引き寄せたかった。次は関根さんが欲《ほ》しかったのよ。あの人ができるのは欲しがって、手に入れることだけ。愛するんじゃない。自分のものにする、これがあの人の愛だったわ」

低く呟く結花の声が、色彩のない冷えきった庭の上に虚《うつ》ろに響く。

やがて、彼女はクッと皮肉な笑いを漏らした。

「あの人もそう。あの人って、別れた旦那《だんな》だけど。欲しがって、あたしを手に入れただけ。母親と似たような男を選ぶって、これ、何か幼時体験のせい？　父親と似た男ならともかく、なんであの母親に似た男を選んだのかしら？　もうね、ほんと、笑っちゃうのよ。家具とか、絵とか、陶磁器とかね、あの男、弁護士を通じてちょっとずつちょっとずつ値切って来るわけ、慰謝料を。それがあまりにもみみっちくて、見え透《す》いてて、あたし、本当に大声で笑っちゃったわ。そういうことができるってところに感動したわね。二十年近く暮らしてて、そういうことができる男だってことを知らなかったんだもの」

結花は今度はくすくすと愉快そうに笑った。何かを振っ切ったような笑いだった。

「あたしは薔薇の手入れはよく分からなかったけど、どう、関根さん、この中の鉢をどれか持って行くっていうのは？　あなたなら薔薇を蘇《よみがえ》らせることができるかもしれないわ」

結花は手を広げて庭にずらりと並んだ植木鉢の残骸を示した。

多佳雄は小さく左右に首を振った。

「この庭は結子のものさ」

晴れやかな笑みは一瞬にしてしぼみ、結花は無表情になった。

「そうね。この庭くらいはね。でも、結局、この庭も失ってしまったんだわ」

再び乾いた声に戻る。

二人はゆっくりと並んで庭を一周した。締め切られた木戸の脇を通る。針金でがんじがらめになった木戸は、老いた囚人のように見えた。

「二度と関根さんが鈴を鳴らすことはないのね」

結花が呟く。

「運命の裏木戸、か」

多佳雄は手を伸ばして木戸を撫《な》ぜた。

結花がくすりと笑った。

「アガサ・クリスティね。相変わらずミステリ好きなのね。そう言えば、あたし、『そして誰もいなくなった』も関根さんに貰《もら》ったわ」

「そうだったかね」

「そうよ」

二人は木戸に背を向けて、歩き始めた。

「ほんとはね、あたしがこの家を貰うつもりだったのよ」

結花がひっそりと口を開いた。

「え？　でも、この家は売ることに決めてるんだろう？」

「そう。それでもなんとか努力したのよ。庭だけでも残したかったから、買い手を探して、手紙を書いて。でも、結貴兄が横槍を入れてきてね」

「なぜ？」

「あたしがお母さんみたいになるのが嫌だったんでしょう。お父さんと結貴兄はこの庭を嫌ってたから。子供の頃から絶対足を踏み入れなかったわ。あたしがだんだんお母さんに似てくるんで不安になったんじゃないの」

結花はくすりと冷たく笑った。

「よくね、結貴兄はこう言ったわ。『あの庭には、誰か他にいる』」

「他にいる?」

「そう。結貴兄は結構臆病者だからね。結貴兄は見たって言うのよ、庭に三人目がいたって」

「三人目?」

背筋がぞくりとした。

「そう。あたしと、母親と、もう一人。結貴兄が言うには、白い服を着た髪の長い女だそうよ」

結花はこともなげに言い放つ。

『お前たちが二人で庭にいると、必ずもう一人が現われる。俺は何度も見た。この庭には何かが棲んでる』

多佳雄は寒気を感じるのを抑えられなかった。

まさか、そんなことが?

記憶の中の結貴を思い出してみる。彼は父親にそっくりの、実務的で現実的な男だった。およそ超自然的思考とはかけ離れていそうな男に見えたものだが。

「意外だな。結貴くんがそんなことを言い出すなんて。ここを売るための嘘じゃないのかい」

少しだけ間があった。

「嘘じゃないと思うわ。あたしも見たから」

「え？」

「結貴兄は裏木戸越しに見たと言ったわ。片手に小さなジョウロを持っていたと。あたしが見たのと同じなの——あたしは最初お母さんかと思ったわ。でも、お母さんの着てた服と違うし、うちで使ってたジョウロとも違った。それで、ああ誰か別の人なんだと思ったわ。ただ、あたしと結貴兄の違うところは、あたしは彼女が怖くなかったってところね」

「どうして？」

「さあ——分からないわ。でも、全然怖くなかった。むしろ懐かしい感じがしたくらい」

「ふうん。そういうものかね」

男と女の違いだろうか。しかし、なんとなく分かるような気がした。光と花に溢《あふ》れた明るい午後の幽霊。その時自分は恐怖を感じるだろうか。感じないような気もする。

裏木戸越しに見えた幽霊。

と、突然、多佳雄が立ち止まった。

結花が不思議そうに振り向く。

「どうしたの？　もう家に入りましょう。すっかり身体が冷えちゃった」

多佳雄は動かない。じっと静かな目が結花を見つめている。

結花はとまどった。

「関根さん？」

結花は笑おうとした。

「――結花は、なぜあの日、私が裏木戸から庭に入ったことを知ってるんだね？」

多佳雄は低い声で尋ねた。

結花はきょとんとする。

「え？」

「私は、あの日庭に入って結子を探したとは言ったが、裏木戸から入ったとは一言も言っていない」

結花は訝《いぶか》しげな表情になる。

「君はさっき、こう言ったね。『二度と関根さんが鈴を鳴らすことはないのね』と。あの日、私は木戸を開けて庭に入った。木戸には鈴が付いていた。それまでは無かったものだ。君は、私があの日裏木戸から庭に入って鈴を鳴らしたことを知っていたんだね」

そこまで言って初めて、結花の表情が堅くなった。

「君はあの日、庭にいたんだね」

多佳雄は覆いかぶせるように言葉を続けた。

結花は無表情に多佳雄の顔を見つめている。

「君は結子が誰かに電話をかけているのを学校に行く前に聞いていたんだ。それで、家を出たあとでこっそりまた戻ってきた」

多佳雄は自分に言い聞かせるように呟いた。

「――また、捨てられた若い男を家に引き込もうとしてるのかと思ったのよ」

結花はかさかさした声で吐き捨てるように言った。

「あの時、お母さんはあなたの名前を呼ばなかったわ。だから、誰が来るのか分からなかった。もっとも、関根さんだと分かっていてもあたしは庭に戻ってきたでしょうね」

その言葉の意味を考えている暇はなかった。

「戻ってきた君は、庭にやってくる男が母親に逢うことを望んではいなかった。だから、ちょっとした意地悪をした。薔薇の鉢をずらして、道を塞《ふさ》いでしまうんだ。あんなに葉が茂り花が咲いているんじゃあ、誰でも地面に薔薇の木が生えていると思うよ。訪問者はいつまでもぐるぐると庭の中の閉じた道を歩かされるというわけだ」

「関根さん、薔薇の鉢の重さを知らないの？　やせっぽちだった女の子が一人で簡単に動かせるようなものじゃないのよ」

結花がからかうように言葉を投げた。

「――最初、私は蜂の羽音かと思ったんだ。あのぶぅーんという音を」

結花がハッとしたように顔を上げた。

「あの日、何か小さなぶぅーんという音が庭に流れていた。私には何の音か分からなかった」

多佳雄は結花の顔を見た。

「君がさっき説明してくれたね。モーターでチェーンを巻き上げ、天窓を開く。その時に何かを引っ掛けておいて、重い植木鉢をずらすんだ。少しずつだが、動かせる。通路を二ヵ所ほど閉じるだけだったら、そんなに時間もかからないだろう。道は狭かったし。あの時、地面には何かをひきずったような筋が幾つもついていた」

多佳雄はゆっくりと歩き始めた。

頭の中に、あの日の庭を見下ろす自分がいた。晴れた午後、花盛りの庭の中を三人の人物がそれぞれあいまみえることなく動き回っているところを。

そして、一つの考えがゆっくりと形をとり始めた。

「――問題は」

暗い口調で話し始める。気分が悪くなっていた。

口に出すべきではないのかもしれない。ただの思い付きに過ぎない。

「なぜ結子が私を裏木戸から入れようとしたかだ」

顔をそむけていた結花が、視線をこちらに向ける。

「私はあの時気分が悪かった。木戸を開けて庭に入った時からずっとだ。私はそれが暑いせいだと思っていた」

爆発するような青空。びっしょり濡れた衿。

あの時は何か別の生き物だった。頭の中が沸騰《ふっとう》していた。

足元はぬかるんでいた。雨も降っていないのに。

それは、凄《すさ》まじい勢いで蒸発しつつあった――

「地面に農薬が撒いてあったんだ」

結花がギョッとしたように小さく声を上げた。

「関根さん、それって」

言いかけてやめる。

「――結子が撒いたんだ。私が通るところに」

地面に散っていたたくさんの花びら。

パニックに陥《おちい》っていた自分。あまりの気分の悪さに。

結子はいつそれを決心したのだろう。朝の天気予報でそれを決心したのだろうか。気温が上昇し、いっせいに薔薇の花が開花する。薔薇の香りに庭は満たされ、刺激臭をごまかしてくれるかもしれないと。

実際、そうなった。薔薇は咲き誇り、庭は甘い香りに昇天した。

しかし、結子の予想を超えて気温は上昇した。恐るべき勢いで地面の水分を吸い上げ、たちまちに空中に拡散させてしまうほどに。

二人は無言でゆっくりと母屋に向かって歩いていった。しかし、二人の頭の中にある情景は同じはずだった。

農薬は、何ヵ所かに分けて撒いてあった。裏木戸から入ってきた訪問者が確実に通ってくる道順に。

しかし、ここでアクシデントが起きた。庭に隠れていた一人の少女が、薔薇の鉢を動かして道順を変えてしまったのである。

結子も鈴の音を聞いていた。今か今かと多佳雄の姿を待っていたに違いない。果たして自分のところまでたどりつけるかどうかは彼女にも予想できなかったが——

しかし、多佳雄は変えられた道で迷っていた。痺《しび》れを切らして多佳雄を探しにきた結子が、道が変わったことに気付いていたかどうか。自分で農薬を撒いた場所を正しく指摘できたかどうか。そして、彼女は自分が意識を失っていくところすら覚えていたかどうか——彼女が意識を失う寸前まで嗅《か》いでいた香りは、自分が丹精こめて作った薔薇の香りだけであってくれればいいのだが。

二人は黙り込んだ。

ますます冷え込んでくる。重力を感じる。

足が重い。地面に粘《ねば》つくようだ。庭の呪縛だろうか。それとも結子の？

「——本当は」

結花が唐突に呟いた。その声は、低く乾いていた。

多佳雄は結花の顔を見た。

「見たの、あの日」

「あの日?」

「ニョロニョロよ。あたしが騒いだパーティの日。正確にはニョロニョロではなく、ジョウロを持った白い服の女の人だったけどね。あの頃お母さんは恋人に夢中で庭もほったらかしだった」

結花は一人ごとのように続ける。

「見たのはあの日が最後だった」

まっすぐ前を見たまま。

もしかして、俺はこのまま一生この庭を出ることができないのではないだろうか、と多佳雄は一瞬考えた。それくらい足が重くて動かなかった。

「あたしはこの庭が好きだったの。欲しかったの。お母さんが関根さんを欲しがったように」

多佳雄はそっと結花の肩を叩いた。

灰色の庭を、二人はひっそりと歩いて行く。

一瞬、底冷えのする風が庭を吹き抜けた。

多佳雄は誰かに呼ばれたかのように後ろを振り返った。どこかでちりん、という鈴の音を聞いたような気がしたのである。しかし、裏木戸の鈴はもう取り払われたらしく何も見えなかった。

そのとたん、むせるような薔薇の香りがいっせいに記憶の底から蘇ってきた。

——来て。

その声が頭の中に響く。

――来て。裏の木戸を開けて、来て。

薔薇が囁いている。溢れそうな薔薇の花びらがあの声で囁く。

――来て。あたしを憎んでいるなら、あたしを哀れんでいるなら。

声が押し寄せる。薔薇の洪水とともに彼の上に覆いかぶさってくる。

――来て。あたしを殺しに、来て。

彼は薔薇の嵐の中を、熱に浮かされたように歩いて行く。薔薇の壁の向こうに待つ女を目指して。

待合室の冒険

ふわっと大きな欠伸《あくび》が出た。

同時に腕を肩の上に上げて伸びをする。無理もない、既《すで》に一時間以上もこうしてプラスチックの堅い椅子《いす》に座って電車の到着を待っているのだ。

一冊しか持ってきていない文庫本を、もう読み終えてしまった。売店の小さな棚に並ぶ文庫本にチラリと目をやるが、生憎《あいにく》、多佳雄《たかお》の好むような本は置いていそうにない。しかし、いっこうに電車が到着する気配はなさそうである。待っている他の乗客もあきらめ顔だ。

「――だからさ、電車が止まってるんだから、仕方無いじゃないか。電車が動きださないことにはこっちだってどうしようもないよ。七時三分だ。いいか、七時三分に迎えに来てくれ。間違えるんじゃないぞ」

オレンジ色のプラスチックの椅子が繋《つな》がって何列も並んだ駅の待合室。乗り換えの電車を待つ客たちが、待合室の半分以上を占めていた。人身事故があって、ダイヤは大きく乱れていたのである。もう外は暗くなってきていた。

斜《なな》め前に座っている四十歳くらいの男が、イライラしたように携帯電話に向かって喋《しゃべ》っている。

隣で膝《ひざ》に抱えたバッグを枕代わりにして熟睡していた春《しゅん》が、身体《からだ》をぴくっと震《ふる》わせて跳《は》ね起きた。ねぼけまなこで辺《あた》りに視線を走らせ、隣の父親に気付いたように目を留《と》める。

「ああ、そうか。まだ着いてないんだっけ」

今年三十七になる息子はがりがりと頭を掻《か》き、眼鏡《めがね》を外して乱暴に目をこする。

「おまえ、よくそんな苦しそうな体勢で眠れるもんだな。時々息をしてないんじゃないかと思ったぞ」

「平気平気。ああ、よく寝た。夢も見なかったよ。お父さん、何か飲む？」

春も大きく伸びをした。

「おまえ、あとどのくらいかかりそうか駅員に聞いてみてくれ。まだまだかかりそうだったらビール。三十分以内だったらコーヒーだな。小銭あるか？」

「うん、ある」

春は大きな体をゆっくりと起こすと、たらたらと改札の近くにいる駅員に向かって歩いていった。

やれやれ、大きななりをして。普段ののんびりした姿を見ていると、とても現役の検事には見えやしない。しかし、人は見掛けによらぬもの、とはこの世界の常識である。多佳雄は、息子の上司であり友人である東京地検の検事の言葉を思いだしていた。親である多佳雄を前にして悪いことは言えないだろうが、彼はこう言ったのだった。

『彼はとっても優秀ですよ。数字に強いし、帳簿を読むのもめちゃくちゃ速《はや》い。複数の情報を一瞥《いちべつ》して、関連性のあるものをガッと摑《つか》み取って、組み立てるのがうまい。しかしね、うちに来る若いもんはそんなの当たり前でね。彼にはもっといいものがあるんですよ。関根《せきね》さん、なんだと思います？』

『なんだろう。呑気《のんき》なところかな』

『彼の一番いいところはね、ツキがあるところです』

『ツキ？』

『そう。分かるでしょ、どんなに必死に捜査したって、やっぱり最後はツキが必要なんですよ。どんなに優秀でも、ツキのない奴っているもんなんですな。春くんにはね、ツキがある。ラッキーボーイが一人いると、全然違うんですね。このあいだも、こんなことがありました。何年も前から目を付けてたラブホテルの脱税の摘発で、吉祥寺《きちじようじ》にある社長の愛人宅を押さえたんです。とにかく用心深い男でね——交友関係を洗うだけでえらい苦労しました。この愛人も、密告のおかげでようやく分かったくらいでね。ハンコも通帳もここにあるのに違いないのは分かってたんですが——それで、ある朝寝起きを狙《ねら》って踏み込んだんです。しかし、女は社長のことを知らぬ存ぜぬ、家になど来たことはないと言い張るわけだ。とにかく一斉に家《や》捜しした。裏が取れてても、モノが見つからなかったらとヒヤヒヤもんです。ところが、気が付くと、春くんがいない。このくそ忙しい時に何をやっとるんだと。見ると、外で近所の子供とのんびり話をしてる。私はくわっと頭に血が昇りましてね——何やっとるんだと怒鳴《どな》りましたよ。ところが』

彼は両手を広げてみせた。

『春くんは、その子供が、我々がその家に踏み込むところを見て、今日は羊羹《ようかん》はないのかな、と呟《つぶや》くところを聞いたというんですね。彼はそれが気になって子供によく話を聞いてみた。話を要約するところうです。吉祥寺の駅の裏に、夫婦でやってる評判のいい和菓子屋がある。特にそこの羊羹は大人気で、遠くから来た客が朝から並んで買うんだそうです。お客はぎっしり並んでるし、夫婦の手作りでそんなにたくさんの和菓子が作れるものではないから、お店はいつも午前中で品物が売り切れて午後は閉まってしまう。もちろん、その子も何度か食べたことがあって、大好物だった。さて、その子供の向かいのうちのおばさんの家に時々来る背広を着たおじさんが、いつもそこの羊羹を買って持ってくるのを彼は目撃していた。やがて、そのおじさんが羊羹を提《さ》げて向かいの家に来ると、たいていその翌日にそのうちの女性が彼の家に羊羹を持ってきてくれるのに気が付いた。母親の話によると、向かいの家に住む女性の知人はその羊羹が好物なので来る度《たび》に持参してくれるけれど、彼女はダイエットしているし、もともと甘党ではないのでそんなにたくさん食べられない。無駄にするのも勿体《もったい》ないので、悪くならないうちにお子さんと食べてくれ、と持ってきてくれるのだそうだ。だから向かいのうちに男性が来る度に彼は羊羹にありつけたわけです。そのおじさん――つまりこれが問題の社長だったわけなんですな。更《さら》に、春くんは子供に突っ込んで聞いた』

多佳雄は次の言葉を待った。

『よく子供にいますね――なんでもとっておく子供。拾った石ころや貝がら、お菓子の空き箱やキャンディの包み紙。春くんは、その子にそういう収集癖《へき》がないかどうか尋ねた。どんぴしゃです。得意がって見せてくれました。よくもまあこんなに溜《た》め込んでおいたもんだと母親も驚いていましたが、今まで食べたお菓子の包み紙がごっそり――そして、もちろんその和菓子屋の包み紙もね。きれいに畳んで何年分も残ってた。我々は小躍《おど》りしましてね――和菓子は生物《なまもの》だから、包み紙にみんな製造年月日のスタンプが押してあるんです。しかも、この店のお菓子はいつも午前中に売り切れてしまうから、その製造年月日の午前中、というところまで社長が吉祥寺にいた時間が限定できる。そして、ご想像通り、この包み紙からごっそり取れたんですよ、社長と愛人の指紋がね』

それをツキと言うならツキかもしれない。

男のツキにはいろいろある。まんべんなくツキのある男、ある一点のみツキの発揮される男、ちょっとずれたところにツキのある男。

人間の一生に与えられるツキの総量は決まっていて、早く使い果たすとあとがないというまことしやかな説がある。これは嘘《うそ》だ。ツキまくる男はずっとツキまくるし、ツキのない男はずっとツキがない。多佳雄が思うに、人間のツキに対する妄執《もうしゅう》の量とツキの量は反比例し、かつ両者を合計した総量は個人によって決まっている。総量の大きさは個人の潜在能力によって決まる。妄執が大きくなればなるほどツキは小さくなる。妄執の大きさに見合うツキを手に入れるには、妄執の大きさに見合う能力を手に入れなければならないのだ。ツキに釣り合うだけの実力がなければツキに潰《つぶ》されるし、大きくなったパイを切り分けることはできない。

そういう多佳雄の自説をもってしても、自分の長男の春はよく分からない。客観的に見て実力はあるし、ツキはあると思うのだが、彼は仕事上でのみそのツキを行使し、それ以外のプライベートなところでのツキを拒否しているようなところがあるのだ。欲がない。春くんには欲がない。小さい頃から、学校の担任にもずっと言われていた。その気になれば、すべてを手に入れるだけの引きも実力もあるのに、その気がない。いつだったか、そのことを本人に尋ねてみたことがある。春の答はこうだ。

一人勝ちなんてつまらないじゃない。手に入れた時点でおしまいだ。手に入れたものを維持していくのも大変だし、一人勝ちしたことに対する責任もしんどいでしょ。

この答に、多佳雄は些《いささ》か不満だった。

つまりは、ガッガツしたくないということか。先頭に立って走るのも、突出して頭を打たれるのも嫌だという、今時の若者なのだ、うちの息子も。多佳雄は、時々そのことに突き上げるようなもどかしさを覚える。もっとも、ないものねだりなのは分かっている。例《たと》えば春が、がむしゃらに働きなんでも一番でないと気が済まないような性格だったら、おまえそんなにガツガツしなくてもと思うだろうし、さっさと結婚して家庭を築いていたら、おまえ若いくせにこぢんまりとまとまりおってと思うだろう。人間、贅沢《ぜいたく》なものだな、と多佳雄は小さく溜め息をついた。

さて、親の複雑な気持ちなどてんで気が付いていない春が、売店からふらふらとこちらに戻ってくるのが目に入る。手に持っているのは二つのビールの缶だった。どうやらまだ先は長いらしい。

「やれやれ、まだか」

「うん。けっこう大きな事故だったらしくて、今やっと鑑識が到着したとこだってさ。これから現場検証するんで、どんなに早くてもあと一時間は動かないって」

「ふうん。間が悪いな」

「外に出て、そのあたりを歩いてみる？」

「外に出るっていってもなあ——何もなさそうだし、天気は悪いし。出かけて戻ってくるには、一時間は中途半端な時間だ」

「ま、のんびりしようよ。僕、今ぐっすり眠れたから、すごく幸せ。いつもの僕の睡眠って、これ以上やっても能率悪いから寝た方がいいなっていうのばっかりでさ。ここじゃあどうせ何もできないじゃない？　心置きなく眠れたよ」

春はにっこり笑った。

多佳雄はなんとなく気抜けした。こういう奴だ。こいつには、なんとなく相手の戦闘意欲をそいでしまうようなところがある。

春は手に持っていた缶の片方を多佳雄に渡し、筒に入ったポテトチップスとさきいかを膝の上に広げて勧《すす》めた。

「前もこんなことがあったな」

「ああ、伊東《いとう》に行った時ね」

「おまえといるとこういうことが起きるな」

「僕に言わせりゃ、お父さんと一緒にどこか行くとこうなるってことになるよ」

二人は並んで座って前を見たまま缶のふたを開けた。

以前、二人で伊東の知り合いのところへ行く途中で車が故障して、ぽっかりと時間が空いてしまった。そこでたまたま耳にした小学生の会話から、推理ゲームに興《きょう》じたことがあったのである。

今回は、二人の共通の知人だった弁護士の葬式の帰りだ。半日がかりで在来線を乗り継いで焼香を済ませて戻ってきた帰り道、ターミナル駅で思わぬ足留めを食うことになったのだった。

「お父さん、何の本読んでたの？」

ビールを飲みながら、春が尋ねた。多佳雄はカバーのついた文庫本を渡した。

「おお、古典だ」

本を開いて春が目を丸くする。ハリイ・ケメルマンの『九マイルは遠すぎる』。有名な推理小説である。主人公がふと耳にした「九マイルもの道を歩くのは容易じゃない。ましてや雨の中となるとなおさらだ」というなにげない言葉から純粋な推論を積み重ねて、殺人事件の真相を暴《あば》き出すというストーリーだ。

「懐《なつ》かしいな。読んでもいい？」

「どうぞ。昔読んだ推理小説って、どうしてこうきれいさっぱり忘れてるんだろうな。今回も、全然覚えてなかった」

「人間、一度では覚えられないよ。印象だけなんだよね、覚えてるの。僕も最近、昔面白かったと思った推理小説読み返してるんだ。覚えてないもんだねえ。犯人すら覚えてないんだよ。どれ読んでも、あまりにも覚えてないんですごく新鮮」

春はパラパラとページをめくって斜め読みしている。

多佳雄はビールを飲んだ。

外は雨。待合室の窓の向こうで静かに降る雨は、初秋の匂いを運んでくる。

斜め前に座っている男の携帯電話が鳴りだした。男は舌打ちして立ち上がり、イライラした様子でぼそぼそ喋りながら待合室の隅へ歩いていく。

待合室に、新たに中年女性のグループが入ってきた。地元の人間らしく、この駅が始発の別の在来線に乗るつもりらしい。まだ時間があるのか、多佳雄の前の列の椅子に四人で並んで座り、誰の娘が髪を染めただの、どこそこの息子が会社を辞《や》めただのというゴシップを賑《にぎ》やかに喋り始めた。

電話を終えた男は、待合室の隅で煙草《たばこ》を吸いながらじっと立っていた。

時間が来たのだろう、やがて女たちはがやがやと話をしながら改札を通ってホームへと消えていった。時間通りに来る電車に、当たり前に乗ってゆく人々が羨《うらや》ましく思えた。

煙草を吸い終えた男が、再び多佳雄たちの斜め前に腰掛ける。いらいらするのにも疲れたのか、居眠りを始めた。

「——ねえ、人が駅に来るのは何のためだと思う？」

唐突に、低い声で春が話しかけた。

多佳雄はあっけに取られる。

「なんだ、また推理ゲームか？」

「まあね。今日は、ハリイ・ケメルマンに挑戦、かな」

「駅ねえ——じゃあ、例によって常識的なところから行こうか。まず第一に、電車に乗るため。もしくは、電車に乗ってきた人を迎えに行くため。単に、誰かとの待ち合わせの場所として。駅にはいろいろなものが売っている。駅の売店は、昔はコンビニエンス・ストアの代わりになってたよな。新聞や雑誌を買う。駅弁を買う。酒を買う。旅行の下調べというのもあるな。時刻表を見る。切符を買う。通勤や通学の定期券を買う人もいるな。今の人は携帯電話を使うだろうが、電話を掛けるというのもありかな。駅には必ず公衆電話があるからな。さて、あとはどうだろう。もっと意外な使い道は——そうだ、石川啄木《いしかわたくぼく》の歌にあるな、懐かしいふるさとの訛《なま》りを駅の雑踏に聞きに行く。人恋しいから、という人もいるかもしれない。駅前は人通りが多いからキャッチセールスも多い。そうだ、タクシーを拾いに行くのも駅が一番だな。逆に、観光地のタクシーの運転手だったら、客を探すために駅に来る人もいるだろう」

多佳雄は思い付くままに喋って一息ついた。

「なるほど。じゃあ、駅の待合室に来るのは？」

春は頷いて、更に質問する。

「待合室？　同じだね。電車を待つ。電車に乗って到着する人を待つ。一休みする。煙草を吸う」

春はもう一度頷いた。

「当初の目的、本来の目的とは違う思わぬ用途で使われてるものってかなりあるよね。まず身近なところで行くと、図書館がそうでしょう。高校生くらいまでは、図書館と言えば本を借りたり読んだりする場所じゃなくて、涼みに行ったり、勉強したりする場所のことだった。都会のカラスは、クリーニング屋でくれる針金のハンガーで巣を作る。僕が小学校の時、夏休みの工作の宿題にヤクルトの空《あ》き容器に色塗って接着剤付けて模型を作るのが流行《はや》ってさ。僕を含めて、みんな模型に必要な空き容器を確保するためにがぶがぶヤクルト飲んでたね。アメリカで一時期、ファーストフードの飲み物の売上が急激に伸びたことがあった。それはなぜかと言うと、あのプラスチックの先の小さいスプーン、あれが麻薬を溶かして吸い込むのにちょうどいい大きさだというのが口コミで広がって、みんなスプーンが欲しくて買ってたんだそうだ。それが判明して以来、向こうのファーストフードのスプーンは先が輪っかの素通《すどお》しになったって話さ。去年、東京に大雪が降って遠距離通勤者が帰れなくなった時、ある会社の総務部は、ビジネスホテルとカラオケボックスを押さえたそうだ。個室を一晩使える、という意味でカラオケボックスはホテル代わりになるわけだ」

春は淡々と説明を続けた。

多佳雄は不思議そうな顔で息子の話を聞いていたが、口を挟んだ。

「なるほど、それで？　待合室の場合は？」

春はちょっとだけ間を置いた。

「待合室に来るのは——椅子に座るためだ」

多佳雄はあきれ顔になった。

「そいつはまた、ずいぶん真《ま》っ当《とう》な答だな」

「でも、そうでしょ？」

春はとぼけた表情で多佳雄を見る。

多佳雄は苦笑しつつビールを飲んだ。

「そりゃそうだが——詳《くわ》しい解説が聞きたいな」

「ちょっと待ってね。トイレに行ってくる」

春はおもむろに立ち上がると、椅子と椅子の間の通路をのろのろと歩いた。何かにつまずいたらしく、手に持っていたビールの缶が揺れて中からビールが飛び出す。

「あっ、すいません」

春は慌《あわ》てた声を出した。ビールがかかったらしく、居眠りをしていた斜め前の席の男がビクッと身体を震わせて起き、きょろきょろ周囲を見回す。

「申し訳ありません。よそ見してて」

男はハッとしたように立ち上がった。春はタオルを取り出して、おろおろと無器用な手つきで男の肩や、椅子の上にこぼれたビールを拭《ふ》いた。

「濡れてしまいましたね、よろしかったらこちらの列に移りませんか」

春が自分たちの席の隣の空いているところを指差した。

「いいよ、別に」

男はぶっきらぼうに小さく手を振ると、今まで座っていたところの隣の席に移った。

「おまえ、何やっとるんだ。酔っ払ったのか」

多佳雄があきれた顔で声を掛けると、春は頭を掻いてトイレに向かった。

「やっぱ疲れが溜《た》まってるのかなあ」

ぼそぼそと呟きながら多佳雄の隣に戻ってきてどすんと座り込む。そのままビールの残りを飲んでしまう。

「僕、もうちょっと寝るね。なんだか急にアルコールが回ってきちゃった」

春は前の列の空いているところにごろりと横になった。先ほどビールを引っ掛けられた男が、ギョッとしたような顔で横の春を見た。

仕事柄、いつでもどこでも一瞬にして眠れる春はたちまち鼾《いびき》をかき始める。

多佳雄は憮然《ぶぜん》とした顔でポテトチップスをバリバリと食べた。

何を考えとるんだ、こいつ。

仕方がないので、春のカバンのポケットに差し込んであった新聞を取り出し、一面から順番に読み始める。ふだん、新聞で読んでいるのは全体の二十分の一にも満たないだろう。そう思って読むと、新聞というのは相当な分量があり、かなりの読みでがある。

しかし、ビールを飲み、細かい活字をじっと見ているうちに、多佳雄もいつしかうとうとと眠っていた。

三人の男がのんびりと入ってきた。同じ会社のビジネスマンという感じだ。時刻表を見ながら駅員と話をしている。

事務室から慌ただしく駅員が出てきて、何か喋っている。他の駅員も集まってきた。そろそろ電車が来るのかもしれない。

一人の小柄な中年女性がやってきて、前の方の椅子に腰掛けた。

ぶつっ、とアナウンスが入る。

「えー、たいへんお待たせいたしました。事故の現場検証がやっと終わりましたので、列車、動き始めております。あと二十分ほどで当駅に到着する予定です。たいへんお待たせいたしました」

やれやれ。多佳雄は欠伸をしながら新聞を畳んだ。

斜め前で眠っていた男も伸びをしている。

春はまだ鼾をかいている。

「おい、あと二十分だとさ」

多佳雄は春に向かって話しかけた。

「そろそろ起きたらどうだ。じゅうぶん寝たろうが」

その時、春がぱっと目を開けた。

一瞬ヒヤリとするほど鋭い瞳が多佳雄を見る。

こいつ、寝た振りをしていた――?

多佳雄は表情を殺して春を見ていたが、知らん振りをしていた方がいいと直感し、姿勢を元に戻すと、努めてさりげなく、何もなかったような顔でぬるくなった残りのビールを飲んだ。

春はゆっくりと身体を起こした。

落ち着いてはいるが、その目はやはり冷たく覚醒《かくせい》していた。

春は、待合室の中を素早く一瞥する。

やはり、普段の様子とはまったく違う。

冷たい風がさっと吹きこんでくる。

どうしたんだ？　何が起きているんだ？

多佳雄は無表情を装《よそお》ったまま、空っぽの缶を手に持ってじっと辺りの様子を窺《うかが》っていた。

ここで何かが起きているのか？

人が出入りし、思い思いに椅子に腰掛けている乗客たちが別のものに見えてくる。

春はのっそりと、多佳雄の前の席に背中を向けて座り直した。

繰り返しアナウンスが流れ、大幅に遅れていた電車が、二つ前の駅に着いたことを教えた。

春はよろりと立ち上がり、静かに歩いて伸びをしながら多佳雄の隣に腰を降ろした。

多佳雄は問いかけるようにチラリと春の顔を見たが、春はぴくりとも動かない。その全身からは、触れれば切れそうな緊張感が冷たいほどに伝わって来る。先ほどまでのおっとりぶりからは予想もつかないような、敏捷《びんしょう》な獣《けもの》のような気迫がにじみ出ていた。

多佳雄は引き続き知らん振りを決め込むことにした。

更に数分が過ぎる。

駅員が改札口に立った。

斜め前に座っていた男が腕時計を見ながらゆっくり立ち上がる。遅れていた電車を待っていたお客たちが、待ちくたびれたように身体を起こして荷物を抱えると、ぞろぞろと動き始めた。男は、改札に並ぶ人々の一番後ろについた。

椅子に座っていた他のお客たちも、次々と立ち上がって改札へ向かう。

春がゆっくりと荷物を持って立ち上がった。

「お父さん、僕たちも行こうか」

口調はあくまでものんびりしている。

多佳雄は無言で頷いて、荷物を取り上げた。

その時、前の席に座っていた中年女性が立ち上がってこちらに歩いてきた。

急にがらんとした待合室の、がらすきになった後ろの方の席に座る。

とたんに、春は自分の持っていた荷物を多佳雄に押しつけるとつかつかと改札に並ぶ列に向かって歩き始めた。

多佳雄があっけに取られて見ていると、春は迷わず先ほど斜め前に座っていた男の肩をとんとんと叩《たた》いた。

男はびくっとしてこちらを振り向く。

春の顔を見て、なんだという表情になる。

春はにこやかな顔で口を開いた。

「お客さん、忘れ物ですよ。あんなもの置きっぱなしにしてもらっちゃ困るな」

柔らかな口調だが、有無を言わせぬ迫力があった。

男の表情が豹変《ひょうへん》した。

いきなり春を突き飛ばし、待合室を飛び出そうと駆け出す。

すると、入口付近で談笑していた三人の男がその行く手に素早く立ち塞《ふさ》がった。

たちまち男は取り押さえられる。

春は後ろに座っている中年女性にキッと振り向いた。

女はぽかんと口を開けていたが、青ざめた顔でよろりと立ち上がる。

「動かないで！　もう全部バレてるんだ！」

春は鞭《むち》のような声で女に向かって叫んだ。

女は全身をぴくっとさせる。

目を見開いたままぼうぜんと春を見ていたが、やがて腰をかがめてわなわなと震え出した。

男を取り押さえた三人のうちの一人が足早に女のところにやってきて腕を摑《つか》んだ。

多佳雄は一歩も動くことができなかった。

駅員も、他のお客もあっけに取られて目の前の光景を見守っている。

外から、いつのまにこんなに待機していたのか、警察関係者らしい男たちがぞろぞろ入ってくる。パトカーのサイレンも近付いてきた。

春はやってきた男たちに会釈《えしゃく》すると、待合室の後ろから二列目の椅子を指差した。

「そこの真ん中です」

手袋をした二人の男が椅子のところにかがみこんだ。カメラを持った男が後ろからのぞきこむ。

春は腕組みをしてその様子を見守っていた。

「これか」

「よし、はがせ」

「写真を」

椅子の下に貼ってあったガムテープをはがすと、その内側にビニールに包まれた白い粉が目に入った。


「——なるほど、待合室に来るのは椅子に座るため——か。椅子の下にああやってガムテープでクスリを貼って渡していたんだな。おまえ、いつ気が付いたんだ?」

揺れる電車の中。さっきかいまみせた鋭い瞳《ひとみ》はどこへやら、再び元のおっとりした弛緩《しかん》状態に戻ってビールを飲んでいる春。

その顔を横目で見ながら多佳雄は尋ねた。

「最初に目を覚ました時だよ――あの男が携帯電話で喋ってたでしょ。あれを聞いた瞬間、どこか違和感を覚えたんだ――というか、あの会話で目が覚めた」

　春は『九マイルは遠すぎる』をパラパラとめくりながらのんびり答えた。

「何かおかしなこと言ってたかな？」

　多佳雄は記憶をたどりながら首をひねった。

「あの男はこう言ったんだ。『電車が止まってるんだからしょうがない。電車が動きださないことにはこっちだってどうしようもない。七時三分だ。七時三分に迎えに来てくれ。間違えるな』」

　春は棒読みするようにぼそぼそと呟いた。

　やっぱり現役にはかなわんな、と多佳雄は密《ひそ》かな敗北感と共に感心した。日々激しい緊張状態にさらされ、眠っていても無意識のうちにアンテナは全開になっているのだ。彼もかつてはそうだった。

「うむ、そうだ。確かに七時三分と繰り返してたな」

　多佳雄は頷いた。

「変でしょ、これ。前半と後半、ばらばらに聞くと別におかしくない。でも、続けて聞くと前半と後半が矛盾《むじゅん》してるよね。あの時は、まだ全然事故の復旧の見通しが立ってなくて、いったいいつ電車が着くのか誰にも分からなかった。その事実をあの男は迎えに来てほしい相手に伝えている。なのに、そのあとにあの男ははっきり時間を指定して『来い』と言っているんだ。変だな、と思った。しかも七時三分だ。誰かと待ち合わせする時に、そんな指定のしかたするかい？　例えば、『七時三分着の電車だ』とか、『七時三分の電車だ』と言うのなら分かる。でも、あの男は『七時三分に迎えに来い』と言った。しかも念を押していた。普通、誰かと待ち合わせする時に、そういう言い方はしない。七時ごろ、とか七時までに着いていてくれ、とは言う。刻《きざ》むとしてもせいぜい五分単位だろう。七時五分、とか七時十五分、なら言うかもしれないね。これもおかしいな、と思った。じゃあ、この会話の前半と後半は別の話題なのではないか、と考えた。前半の続きで後半があるのではない。そこから話題が変わっているんだ。七時三分というのは、時間ではなくて別の意味を示すのではないか。なんだろう？」

春は言葉を切った。

「数字が二つ——と思って、ぱっとひらめいたのは座標だね。座標に当たるものが何かあるかなと顔を上げたら、ふと待合室のずらりと並んだオレンジ色の椅子が目に入った。お父さん、覚えてる？　あの待合室。あそこね、一列に椅子が五つあって、それが八列並んでいたんだよ。そして、あの男は、なんと七列目の真ん中——つまり三番目の椅子に座っていたんだ。そのことに気付いた瞬間、これは偶然だろうか、と考えた」

多佳雄は待合室の椅子を思い浮かべた。なるほど、一列にある椅子は確かに五個だったな。列までは覚えていないが八列くらいだった。

「偶然かもしれない。でも、偶然じゃないとしたら？　自分の座っている椅子の場所を誰かに伝えたいのはどういう場合だろう？　その椅子に何かあるからだとしか考えられないじゃないか。公共の場所——所有者を特定できない場所にある椅子に何かを隠して誰かに渡したいものと言ったら、クスリが真っ先に浮かんだね。とすると、どうやらこいつはもう何度もここでこの受け渡しをやっているに違いない。きっといつもは空《す》いているんだろう、この待合室は。彼が椅子に座り、携帯電話で椅子の場所を知らせ、少ししてから誰かが取りに来る。いつもスムーズにやってたんじゃないかな。ところが今日はアクシデントがあった。事故があって電車が遅れたのだ。そのこと自体は、受け渡しにはたいした問題じゃない。問題なのは、電車が遅れたために、乗り換えで待たされた客が、いつもより遥《はる》かに大勢の人数が待合室の椅子に腰掛けたってことなんだ。これは困る。人目につきやすくなるし、彼がクスリを貼り付けていた椅子を、誰かが長時間塞《ふさ》いで受取人が近寄れない可能性がある」

春は淡々と言葉を続けながらグビリとビールを飲んだ。

「だとすれば、こいつは受取人が来るまで、この椅子を離れられないはずだ」

多佳雄もつられるようにビールを飲んだ。

「そこで、僕はあの男を観察することにした。次に電話を受けた時、あいつは周《まわ》りに内容を聞かれないように席を立ったね。その時、たまたまやってきた在来線の始発に乗る女性グループがあの列を埋めてしまった。そのことに気付いたあいつは、彼女たちが席を立つまで椅子に座らずにずっと待っていたんだ——彼女たちがいなくなるまで。そして、彼女たちが席を立つやいなや、すぐまた前の席に座った。やはり七列の三番目の席に。ここで僕の確信は高まったけど、もう一押ししてみることにした。つまずいたふりをして、あの男にビールをひっかけてみたんだ――椅子にもビールがかかるように。僕が慌てて謝《あやま》って、こっちの列の空《あ》いている席に移るように勧めたのに、それでもあいつは隣に移っただけでやはりあの席から離れようとしなかったね。そこで、僕はトイレに行き、ついでに警察に電話した――警察が来るまで、僕はあの席にかかるように転がって、受取人が近付けないようにすることにした――僕が転がった時、あいつはちょっと慌ててたけど、どうせ乗り換え電車が来るまでは動けないのは同じだったから、すぐに気を取り直してたね」

春はちょっと言葉を切った。

「こればっかりは現行犯でないと取り押さえられない。あいつは手袋をしてなかったから、椅子のどこかにクスリがあるとすればあいつの指紋が付いてるはず。できれば、受け取りに来る人間にもそのクスリに触ってほしかった。そうすればどちらも逃げ隠れできないからね。僕が呼んだ警官以外に、あとで入ってきた一人の客はあの女だけ。だから、あの女が入ってきた時からこいつが受取人に違いないと目を付けていた。女は、あの男と僕が七列目の席にいるのを見て、前の方の離れた席に座った。これで役者は揃《そろ》った。あとはもう遅れてた電車の来るのを待つばかり。遅れた電車に乗るために、待合室の客が一斉に動く瞬間をずっと待ってた。けっこう緊張したな。下手するとあいつが電車に乗って逃げちまうし、かと言って女があのクスリに触れる前にあいつをつかまえたんじゃ女に逃げられてしまう。タイミングが難しかった」

春は話し終えたとばかりに掌《てのひら》を広げて見せ、ちょっとだけ笑った。

多佳雄は大きく頷いた。

「今回はよぉく納得したよ。おまえにはツキがある」

「そう？　でも、ひょっとしたらお父さんと僕の組み合わせにツキがあるのかもよ。だってさ、最初にあの男の会話を聞いておかしいなとは思ったけど、その理由を考えてみたのって、お父さんの持ってた『九マイルは遠すぎる』を見てからだもの。あの男の会話から何か推論できるかなぁ、って考えたのがきっかけさ」

「ふうん。推理小説が役に立ったのは初めてだ」

「最近、携帯電話を使ったクスリの密売がすごく多いって言う話も聞いてたし――新しい技術が開発されると、まずその利用法を徹底研究して進化させるのは犯罪だね。テレホンカード、伝言ダイヤル、携帯電話、パソコン通信――どれもみな、当初の目的とは違うところで使われてきて問題になっている。でも、本来の利用法にとらわれずに、いろいろな使い道を試すっていうのは考え方として嫌いじゃないんだけどな。なかなかうまくいかないもんだね」

「そうだな」

多佳雄は頷いた。良くも悪くも、法と悪はそうやって知恵比《くら》べをしながらここまでやってきたのだ。

「タイトルは何がいいかな」

「タイトル?」

「今回の事件さ」

「『電車が遅すぎる』」

「なんだかサラリーマン小説みたいだね」

「いいと思ったんだが」

「『待合室の冒険』はどう?」

「うん、いいね」

雨はまだ降り続いていた。

二時間半遅れの列車は、ゆっくりと闇の底を走っていく。

机上の論理

四畳半の和室らしい。

天井には、量産品の丸い電灯。なんとなく暗い。古い日本家屋だろうか。暫《しばら》く蛍光灯を替えていないのだろう。

畳の上には、部屋よりも一回り小さい、濃い色の褪《あ》せたような絨毯《じゅうたん》が敷いてある。絨毯の上には、ぱらぱらと白いゴミが散っているのが見える。

絨毯の真ん中よりも少し奥に、使いこんだ木の机が置いてある。両側に引き出しのついた、がっちりした机だ。角には細かい切り傷や焼け焦《こ》げ。削《けず》ったような跡もある。

机の上には、原稿用紙を始めいろいろなものがごちゃごちゃと載《の》っている。古い肘《ひじ》掛け椅子には、ずり落ちかけた座布団。椅子の背には網目の大きな毛糸の膝《ひざ》掛け。椅子は、机の正面に向かって三十度くらい斜めにこちらを向いている。

「乱雑な部屋だな」

関根春《せきねしゅん》はカウンターの上で腕組みをして、古い白黒写真をのぞきこんだ。

「あら、そうでもないわ。散らかっているようでいて、どこかに統一性が感じられるわよ」

隣に座っていた関根夏《なつ》は、片手で頬杖《ほおづえ》をついて異を唱《とな》える。

「そうかな。性格は案外大雑把《おおざっぱ》で開けっ広げな感じがするな」

春は、久し振りに会う妹にワインを注《つ》いでもらいながら呟《つぶや》く。

「甘いわね。この褪せた絨毯をご覧なさいよ。家人に部屋を触《さわ》らせてないのよ。なのに、膝掛けはきちんと畳んで掛けてあるじゃない？　一見乱雑そうだけど、自分の世界に他人を立ち入らせない神経質さが感じられるわ。彼には彼なりの秩序性があるのよ」

夏は自信に満ちた表情で畳み掛ける。

「でも、そもそもこの部屋の持ち主が妻帯者とは限らないだろう？　家人に部屋を触らせていないのではなく、触る人がいないのかもしれない。この写真を見ただけでは、古いアパートのようにも見えるからね。たまたま訪れた友人か恋人かが膝掛けを畳んでくれたのかもしれないだろ」

春は淡々と言葉を続ける。夏はちょっとだけ隣の兄を睨《にら》みつけた。

「相変わらず用心深い男ね。時には冒険しないと飛躍しないわよ」

「僕の職業で飛躍するわけにはいかないからなあ。おまえは昔から直感型だったけど」

「あら、あたしはね、直感と論理がリバーシブルでかみ合ってるのよ。日頃の経験と論理性の鍛《たん》錬《れん》の上に直感があるのよ。ただやみくもに直感に頼ってるわけじゃないわ」

カウンターの中にいた初老の主人が、ニコニコしながら料理の皿を持ってきた。

二人はハッとしてバツが悪そうにワインのグラスを口にした。

春と夏は二つ違い。子供の頃から張り合ってきた兄妹だけに、お互い三十代の半ばを過ぎた今でも、顔を合わせると競争心がむらむらと湧いてくるのである。しかも、二人はようやく自分の仕事に手応《ごた》えを感じるようになってきた、現役の検事と弁護士だ。職業上でも相対する立場だけに、ライバル意識は強い。

「おいしそう」

「隆一《りゆういち》さんが勧める店だけのことはあるね」

黒胡麻《ごま》のたっぷり入ったタレに漬《つ》けたマグロのカルパッチョと、柿とコンニャクと三葉《みつば》の白和《しらあ》え、酒盗《しゆとう》を塗ったガーリックトースト。それらが、別々に買い揃《そろ》えたらしい、三種類の染付の皿に盛ってある。いける口という点でも互いに譲らない二人だが、この時ばかりは相好《そうごう》を崩して仲良く酒を注ぎ合う。

「それにしても、ちゃんと帰ってくるかしら。隆一さん」

早くも二本目を選ぶためのワインリストを手にしつつ、夏はこぢんまりした店の入口に目をやった。従兄弟《いとこ》の隆一が携帯電話で呼び出されて、店を出てから十分ほど経つ。

新春の店の中は、七割ほど埋まっていた。席数や場所から言っても、気の置けない仲間とポケットマネーで来る店なのだろう。ビジネス抜きの客がほとんどで年齢が高く、雰囲気はとても良かった。

「大丈夫さ。それよりも、バッチリ推理を固めておこうぜ」

「やる気まんまんじゃないの。受けて立つわ」

「このところ、安楽椅子探偵としての実績を積んでるからね」

「あっ、聞いたわよ。麻薬の密売現場に居合わせたんですって？」

「お父さんといると、なんだかそういう目に遭《あ》うんだよな。相性悪いのかな」

「そういう巡り合わせってあるわよね。この人といるとトラブルに遭うっていうの」

二人の父親である関根多佳雄《たかお》は、もう既に引退しているが、名判事と言われた人である。立派な人ではあると思うのだが、子供たちから見ると、捕らえどころのない天邪鬼《あまのじゃく》で、頭脳明晰《めいせき》な若手のホープと言われるこの二人にしても、まだ全貌をつかみかねるところがある。その父親の多佳雄と、春が一緒に旅行をする度《たび》に、なぜか必ず事件に遭遇するのであった。昨年の秋にも、知り合いの葬式の帰りに、たまたま列車事故で立往生した駅の待合室で、偶然麻薬の密売を摘発するという出来事があったのである。

「そいつも運が悪かったわよねえ。お父さんと春のいた場所でそういう行為に及ぶとは」

「でも、あの一件を考えるとさあ、なんとなく絶望的な気分になるよね。全国で、今この瞬間にもいろんな奴らが、てんでんばらばらにあらゆる知恵を絞って犯罪行為を進めているのかと思うと。僕が一生で見つけだせる犯罪なんてほんの少し」

「珍しいわね、春が愚痴《ぐち》るの」

「愚痴ってるわけじゃないけどさ」

二人の性格は、一見対照的である。春は見た目にも物静かな男だ。用心深く、慎重だ。夏はパッと目立つ華やかな性格。大胆でダイナミック。子供の頃からそう言われ、比べられてきた。しかし、二人は互いによく分かっていた。外見にはそう見えても、実際のところは逆だということを。春がいざとなるといかに大胆な勝負に出るか。夏が実はどんなに周到で細心に計画を進めるか。自分たちがあらゆる点で『リバーシブル』であることを自覚しているだけに、二人のライバル心は強く、同時に二人はよく理解し合っていた。当然、二人がいったん共同戦線を組むとなると怖《こわ》いものはなかった。かつて、二人の共通の友人の失踪事件で一度だけ組んだことがあったが、面白くスリリングであったのと同時に苦い記憶でもある。まあ、今の二人の職業では、なかなか共同戦線を組む機会はなさそうだが。

「春、次のワインあたしが決めていい？」

「いいよ」

「じゃあ、これ下さい」

念入りに選んだワインを告げてにこやかな主人にワインリストを渡すと、二人は再び写真に見入った。

関根隆一は、彼らの従兄弟である。病理学者で、仕事上でも知識を仕入れたり、法医学の解説をお願いしたりちょくちょくお世話になっていた。最近続けて兄も妹も彼と話をする機会があって、久し振りで三人で飲もうという話になったのだ。彼は根っからの研究肌だが茶目っ気のある男で、駅で待ち合わせた二人をこの店に連れてくると、カウンターに陣取って料理を頼み、乾杯を交わしてから、おもむろに数枚の写真を取り出した。

「これはね、僕が個人的に手に入れた写真なんだけどね。ある人の部屋を撮《と》った昔の写真なんだ。犯罪に関係した人間なんだけど、どんな人間だか分かるかな？　君たちの推理で、この部屋の持ち主の人物像と、何をした人間か当ててみない？　それが本物と一致したら、ここの飲み代を僕が奢《おご》ってあげるよ」

そこまで言われたら、受けて立たないわけにはいかない。それでなくとも、二人とも大のミステリ好きなのだ。真剣な顔で写真に見入る二人をニヤニヤ眺めていた隆一だが、突然携帯電話が鳴った。彼は店を飛び出して暫く外で話をしていたが、病院に戻る用事が出来たので、一時間ほど出てくると言い置いて店を出て行ったのだ。彼の勤める病院は、地下鉄の最寄り駅の二つ先の駅の近くにある。

写真は四枚あった。かなり古いものらしい。同じ部屋をさまざまな角度から撮ったもので、その最初の一枚を見てのやりとりが、冒頭の会話である。

二人は料理をつまみながら、他の写真を見ていく。

次の写真は、窓際のアップだ。窓ガラスの外側に、小さな鉢植えが幾《いく》つか並んでいる。窓の下の壁には、ずらりと本が積んである。雑誌に文庫本。地図帳、小説、ビジネス本。洋書のペーパーバックも見える。他にもこまごまとしたものが床を埋めている。

三枚目の写真は、机の上だ。原稿用紙が広げてある。その上には万年筆と鉛筆。消しゴム。小さい辞書が何冊か積み上げてある。くしゃくしゃの小さな紙切れがぱらぱらと置いてあり、切子のグラスを一輪挿《いちりんざ》しに使っているらしく、鈴蘭《すずらん》の花が一本挿してある。ブリキの飛行機、鉛筆削り。机の上にも、いろいろとごちゃごちゃしたものが載っている。

そして、最後の写真は壁だ。右端にちらりと本棚が見えている。柱には日めくりが掛かっている。月は分からないが、日付は三日だ。壁には小さな絵、鴨居《かもい》に掛けられたツイードのジャケットがのぞく。

「うーん」

二人は何とも言えぬ唸《うな》り声を上げた。

「ちょっと考えさせて。じっくり考えて、隆一さんが戻ってきたら二人で自分の推理を披露《ひろう》するってのはどう?」

「いいんじゃない」

夏がカウンター上部に四枚の写真をぴったり並べた。

二人ともおとなしく熟考する。こういう時の集中力は、どちらも素晴らしい。しかし、酒と料理は確実に減っている。二人はどちらからともなく互いのグラスに酒を注ぎ、料理を注文し、黙々と消化していく。

「いやー、悪い悪い。お待たせ」

隆一がようやく戻ってきた時には一時間半が経過しており、既に三本目のワインが開けられていた。

「あれ、どうしちゃったの」

腕組みをして真剣な顔で写真に見入っている二人の顔を交互に見ながら、隆一はコートを脱いだ。

「雪が降ってきたよ」

コートの肩にきらりと光るものが付いていた。隆一は軽く手で払い、カウンターの近くの壁にあるコート掛けに持っていく。

「道理で寒いと思ったわ」

「久しぶりの雪だね」

春も夏も、写真に目をやったまま答える。

「まだやってたの？　どう、分かったかな」

隆一は天然パーマの茶色っぽい髪の毛から雪を払いつつ、腰を下ろした。眼鏡《めがね》が曇《くも》っている。かなり外は冷え込んでいるのだろう。

「新年から脳味噌使っちゃったわ」

夏が溜息をついた。が、にこやかに顔を上げる。

「でも、ワインはいただきよ」

「悪いね、ワイン三本も飲んじゃったよ。ここは隆一さんの奢りだね」、春がにやりと笑って隆一を見た。

「ふうん、えらい自信じゃないか。それでは、二人の推理を承《うけたまわ》りましょう」

隆一は目を丸くして、再びワインのグラスに口をつけた。なんとなく、三人でもう一度乾杯する。

「じゃあ、あたしから行くわよ」

夏はこほんと咳《せき》払いをした。主人が、漬物とチーズの盛り合わせと、ウニとアサツキのオムレツを持ってくる。完全に和洋折衷《せっちゅう》のつまみらしい。最初はワインにはミスマッチではないかと思っていた二人も、今では来る皿をどれも楽しみにしていた。

「ここにある四枚の写真。果たしてここからどんな人間像、どんな犯罪者像が導《みちび》き出されるのでありましょうか」

夏は完全に職業モードに入っている。自信に満ちた、必ず説得してみせるという気迫に溢《あふ》れた声。

「まず、言えるのは、この部屋の持ち主は男性であるということ。調度品のタイプ、部屋の雰囲気、鴨居に掛かったジャケット、そのどれもが男性であることを指しています。そうね、身長も分かる——中肉中背、どちらかと言えば小柄かもしれない。ね、この肘掛け椅子を見て。ずり落ちかけた座布団の下に、もう一枚小さな座布団がのぞいてるでしょう。これは、高さを座布団で調整していた証拠よ。机の高さに肘《ひじ》の位置を合わせるために、座布団で嵩《かさ》上げしたんだわ。だから、小柄な男でしょうね」

「へえ。そうか、これ、座布団二枚重なってるのか。よく見てるねえ」

隆一は感心したように写真をのぞきこんだ。

「やだ、隆一さんが持ってきた写真じゃないの」

「僕は部屋の持ち主を知ってるもの。そこまで観察しないよ」

夏はワインで口を湿して、話を続けた。

「さて。次に言えるのは、この部屋の持ち主が妻帯者であることね。これはさっきも春と意見が分かれたところなんだけど、確かに一見この部屋は乱雑だわ。絨毯の上の埃《ほこり》を見ても、掃除していないように見える。でも、あたしはこの部屋に女の影を感じるのよね」

「女の影——ねえ。ワイドショーじゃないんだから」

横から春が口を挟んだ。

「あたしの直感は鋭いのよ。根拠があるんだから。この窓辺の写真を見てちょうだい。床は散らかってるけど、窓ガラスは綺麗《きれい》でしょう」

夏は窓の写っている写真を指さした。確かに、窓の外の鉢植えも曇りなくはっきり見えている。

「ほんとだ」

隆一も頷《うなず》く。

「ね。この角度から見て、窓ガラスの汚れが見えないんですもの、窓ガラスはきちんと掃除してあるのよ。普通、窓ガラスの掃除なんて最後にするものよ。暮れの大掃除とかね。男の人の一人暮らしで、汚れの目立つ絨毯の掃除はしないのに窓ガラスはきちんと磨《みが》く人なんていやしないわ。他のところに手を触れることを許されてないから、奥さんが窓ガラスだけ掃除したのよ。恋人ではないわね。恋人だったら、所帯じみて力のいる窓ガラスなんて掃除しないわ。それこそ、絨毯を掃《は》くとか、机の上を拭《ふ》くとか、恋人であることを実感できるような可愛らしい家事をするわよ。恋愛初期の状態にある恋人どうしだったら、男の方も机に触ることを許すかもしれないわ」

「可愛らしい家事ねえ」

春が懐疑《かいぎ》的な声を出す。

「ふうん。鋭いなあ。さすが弁護士。証拠もその調子で探すんだろうなあ」

隆一は、写真を見つめてひたすら感心している。

「僕だって証拠は探すよ」

春は不満そうである。夏はますます意気盛んだ。

「このツイードのジャケットだって、ものは良さそうだわ。それなりのジャケットを誂《あつら》えるだけの経済力があるんですもの、部屋の持ち主の年齢は当時三十代から四十代。しかもこんな濃い色のジャケットなのに、ジャケットの肩に埃《ほこり》が見えないわ。誰かがきちんとブラシを掛けているのよ。ジャケットの側にブラシが見えないところを見ると、ブラシは部屋の外にあるんだわ。つまり、この部屋はアパートではない。廊下のある戸建てね。このことから言っても、この部屋の持ち主が妻帯者であることが窺《うかが》えるんじゃないの」

夏はチーズをつまんだ。

「さて、妻には書斎を触れさせせない神経質さを持つこの男。ま、男の人には珍しくないけどね、自分の部屋をいじらせないっていうのは。あら、何よ、春、その目付きは。そうそう、ここでも意見が分かれていたのよね。この男は神経質か大雑把か。その辺《あた》りも固めましょうか。いい？この部屋の壁には日めくりがあるわね。日めくりを使うのは、案外まめでないと続かないのよ。この男はしっかり日めくりを使っているわね。そして、この机を見て。原稿用紙の下に何か見えるでしょう？ね、机の上にガラス板を敷いているの。その下に、字が見えない？そう、これは月のカレンダーなのよ。ガラス板の下に、月の予定表を入れているの。日めくりを使いつつも、月のカレンダーをチェックしているのよ。書き込んだ字や、字の上に線を引いて消した跡が見えるでしょ。まめにスケジュールを確かめているのよ。しかも、月間スケジュールの上にガラス板を敷いているんですもの。予定を書き込んだり、終わったものをチェックするのに、いちいちガラス板をどかさなければならないのよ。これがまめで神経質な男でなくってなんだというのよ。どう？」

夏は勝ち誇ったように春を横目で見た。春は、処置なしとでも言うように、小さく首を振る。

夏は更《さら》に続けた。

「では、話を進めるわよ。この男の職業ね。本棚に並んだ本が写っていないのは惜しいわ。ま、本が写っていたら一発で分かってしまってつまらないけど。あたしが注目したのは、この鉢植え。小さな鉢植えが幾つもあるわね。男の人が鉢植えの世話をしているのは珍しいわ。しかも、どれも背の低い草ばかり。観賞するための花じゃないわ。このことに気付いた時に、床に積んである沢山《たくさん》の本にピンと来たのよ」

隆一と春が続きを待つように夏の顔を見た。夏はワイングラスに唇を当てて勿体《もったい》ぶる。

「本を平積みにする時はどんな時かしら？」

いきなり、隆一に質問する。隆一は目をぱちくりさせた。

「本屋とか——表紙を目立たせたい時にするんじゃないの。沢山の本を収納する時もそうだね。僕だって、本棚に入りきらない本は、みんな廊下に一列に積んであるもの。あれ、互い違いに積まないと、片方が高くなって駄目なんだよね」

夏は悠然《ゆうぜん》と笑ってみせた。

「そうね。表紙を見せたい時か。なるほど、それもいい答だと思うわ。でも、この場合は違うの。沢山の雑誌——沢山の単行本——しかも、本は窓際にきちんと並べて積んであるじゃないの。あたしが考えたのはね——押し花よ」

「押し花？」

　隆一が繰り返した。

「そう。この男は、植物学者なのよ。自分でも珍しい植物を育てているんじゃないかしら。窓辺に積んである沢山の雑誌や本は、押し花に使っているの。よく見て、机の上の本の下に黒い棒みたいなのがのぞいてるでしょう。これは、ルーペじゃないかしら？　まだ三十代から四十代の男が、ルーペを必要とするなんて、まだ早いわ。きっと、何か小さなものを拡大して見るためでしょ。研究者か学者なんだわ。そう考えれば、植物学者だと言うのもまんざら当てずっぽうとは思えない。そう考えると、机の上にある鈴蘭が別の意味を持ってくるでしょう」

　夏は確信に満ちた口調で人差し指を立てた。

「ああ」

　納得したように隆一が頷く。

「隆一さんは知ってるわよね。鈴蘭は薬草でしょう。もっと言うと、毒草だわ。大量に食べると死に至るらしいわね。目の前で毒草を眺《なが》めながら仕事をしている男。穏《おだ》やかじゃないわね。彼は、誰かを毒殺したいのではなくて？　机の上に載っている紙屑《かみくず》があるでしょう。これは、分包紙じゃない？　彼は、分包紙に毒薬を詰めていたんだわ。そういうふうに推理していくうちに、実はあたし、もっと恐ろしいことに気付いたのよ」

夏の声に力が入った。思わず他の二人も引き込まれる。

「なぜこの写真があるの？」

「え？」

隆一は夏の顔を見返した。

「この写真を撮った意味よ。この写真を撮ったのは、この部屋の持ち主自身ではなくて？」

「うーん。そこまでは知らないなあ」

隆一は首をかしげた。

「自分の部屋の写真を撮るのはなぜかしら。しかも、これから誰かを毒殺しようとしている男が、自分の散らかった部屋をわざわざ撮影する。これには何か深い理由があるに違いないわ。この写真を見た時から気になっていたのよ。そもそも、なんでこんな写真を撮ったんだろうって。あたしが考えたのは――調度品の位置を記録するためじゃないかってことよ」

「調度品の位置？」

春が不思議そうな顔をした。その顔を見て、夏は満足そうに頷く。

「そう。あとで部屋を復元するためよ」

「部屋を復元？」

今度は隆一が質問する。夏は再び頷いた。

「あたしが考えたシナリオはこうよ。妻の留守を見計らって、殺したい相手を家に呼ぶ。だから、きっと相手は親しい男なのね。お茶か何かを勧《すす》めて毒を盛って殺す。いつの世も、死体の処理に殺人者たちは頭を痛めるものだわ。死因を追究されるのも困るしね。死体を消すにはどうすればいいのかしら？　手っ取り早いのは、埋めることよ。それも、安全な場所に。例えば、家の床下に」

隆一と春はぎょっとした顔になった。

「まさか」

「そうよ。彼は、自分の書斎の床下に被害者を埋めることを計画していたのよ。でも、家人に机や本を動かしたことを気付かれるのを恐れていた。だから、普段の部屋の状態を記録して、死体を埋めたあとで同じ状態に戻せるように、わざわざ写真に撮ったんだわ」

夏はホッとしたような顔でワインを飲んだ。

「あたしの推理は以上よ。隆一さん、なかなか手のこんだ企画だったわね。写真そのものがトリックになっていたなんて」

「はあー、大したもんだねえ、現役の弁護士は」

隆一は目を真ん丸《ま》にしながらしきりに頷いている。

「その台詞《せりふ》はまだ早いよ、隆一さん。こっちには現役の検事が控えてるんだからね」

春が言葉に力を込めてゆっくりと呟いた。夏がふふんと鼻で笑う。

春は、三人のグラスにワインを注いだ。

「――よくもまあ、同じものを見てここまで違う考えを導《みちび》き出せるものだと感心したよ。こんなに何度も見直して、熟考しても違う結論に辿《たど》り着くんだから、ほんの数分目にしただけの目撃者の証言があてにならないのも当然だね」

春はワイングラスを口許《くちもと》に持ってきて、自分に言い聞かせるように呟いた。

「あら、それってどういう意味？」

夏がむっとしたように春を睨みつける。春は平然とした顔だ。

「じゃあ、僕の推理を披露しよう」

春はカウンターの上で指を組んだ。

「この部屋の持ち主が三十代から四十代の男性であるという点では、僕も夏と同じだ。でも、その先は全然違う。まず、身長ね。夏は小柄だと言った。でも本当にそうだろうか」

春と夏の視線が絡《から》み合う。隆一は二人の剣幕にたじたじとなって身体をすくめた。

「この椅子をよく見てほしい。確かに、座布団は二枚積んである。でも、それは高さを調整するためのものとは限らない。ただ単に、長時間椅子に座っている痛みを軽くするためじゃないかな。僕は、この男は長身だと思う。かなり背が高いんじゃないかな」

「どうしてよ」

夏が真っ向から攻める。

「この椅子ね、横向きになってるだろう。最初は、席を立った時に動いた位置で止まってるのかと思ったんだ。でも、そうじゃない。いつもこの椅子はこの位置にあるんだ。椅子の下の絨毯を見てほしい。全く椅子を動かした跡がないだろう。だけど、横向きの椅子の前には擦《す》り切れた窪《くぼ》みがある。いつもここに足を置いている証拠だ。この椅子にいつも座っている男は、上半身は机に向かっているけれども、下半身は横向きなんだ。つまり、椅子は今写真に写っているように、いつも横向きに置いてあるということなんだ。なぜこんな姿勢なんだろう?」

春は二人の顔を見回した。

「喫茶店で、低いテーブルがあるよね。椅子も狭い。身体の大きな男が、低いテーブルと狭い椅子に座る時にこんなポーズになる。膝がテーブルの下に入らないから、下半身を横向きにするんだ。まともにテーブルに向かって腰掛けると窮屈だからね」

隆一が納得したように頷いた。春も隆一も、かなりの長身である。思い当たるところがあったのだろう。

「この部屋の持ち主である男もそうだ。身体が大きくて、この机の下に足が入らないから椅子を横向きにして座っているのさ」

夏はじっと黙り込んで、写真の椅子の前にある絨毯の窪みを嚙みつきそうに見つめている。春はそれに構わず続けた。

「さて、次はこの男が独身か妻帯者かという問題に移ろう。僕は、結論から言って、どちらかは分からない。きっと、この部屋からは分からないと思う。それがなぜかと言えば、この部屋は彼の仕事場だからだ」

何か言いたそうにしている夏に向かって、春はてのひらを上げてみせた。

「あのね、僕の言いたいことはこういうことだ。この部屋は書斎じゃない。彼の仕事場だ」

「ますます言ってる意味が分からないわ」

夏が不機嫌そうに口を尖《とが》らせた。

「じゃあ、先にこっちを説明しよう。さっき夏は、この部屋の窓ガラスが磨かれている理由は、この部屋の持ち主が妻帯者だからだと言ったね。でも、窓ガラスが磨かれているのには別の理由があるとしたらどう？　床や机は掃除しなくても、窓ガラスだけは掃除しなければならない理由があるとしたら。この写真からは、外の様子は分からない。でも、この部屋の向かい側に別の建物が建っていたとしたらどうだ？　向かい側の建物の一室に住む人間の行動を見張るのにちょうどいい部屋がこの部屋だったとしたら？」

夏はハッとしたような顔をした。

「この部屋に住む目的が、向かいの部屋に住む人間を見張るためだとしたら、窓ガラスだけが磨かれている理由は一目瞭然《いちもくりょうぜん》だろう。外がよく見えるようにするためさ。もう一つ、この部屋に住む男がここを仕事場にしている証拠を挙《あ》げよう。絨毯の上に散らかっているゴミ——これは、よく見ると、どれも食べ物のゴミだね。せんべいのかすやみかんの皮のかけら。要するに、この男は、ここで食事しているんだ。戸建てに住む妻帯者が、そんなことをするだろうか？　そうは思えないね。しかも、夏が言うには、こいつは神経質な男なんだろう？　そんな男が自分の書斎で食べ物を散らかすようなことをするだろうか。こいつは、一日の大部分をここで過ごしている。ここで座っている。当然、お尻も痛む。だから、座布団も二枚重ねているんだ」

春はワインを一口飲んだ。

「原稿用紙や本が広げられているのも、自分が文筆業で、一日の大部分をこの部屋で過ごすことの妥当《だとう》性を証明するための小道具だろう。つまり、この机の上は偽《いつわ》りの姿なのさ。この原稿用紙をよく見てごらん。はじっこが丸まっているだろう。これは、何日もこの原稿用紙が動かされていない証拠さ。この原稿用紙は、ただ机の上に広げてあるだけなんだ。この部屋の持ち主が文筆業であると、他人が見た時に思い込ませるためにね」

「なんでそんなことをしなければならないの」

夏が尋ねた。隆一も同じ質問のようである。

「僕は、最初に隆一さんが言った台詞が気になっていた。『犯罪に関係した人』。隆一さんはこう言ったよね。『犯罪を犯した人間』じゃない。犯罪に関係し、職業を偽って一日中向かい側に住む人間を見張る男——この男は、刑事だ」

隆一が、おお、と呟いた。夏も驚いた表情になる。

「さて、カレンダーの問題があったな。日めくりと月間スケジュール。夏の見たものは確かにそうだ。しかし、几帳面《きちょうめん》かどうかと言う点はどうかな」

夏が居心地悪そうな目付きになる。

「この日めくりの日付は？」

春が隆一に尋ねた。

「何月かは分からないけど——三日だね」

春は頷いた。

「そう、三日だ。そして、この月間スケジュールには確かにいろいろな書き込みがあって終了した事項に関しては、線を引いて消してあるように見える。だがね、この月間スケジュール。いったいいつのだろう。原稿用紙の下からのぞいているということは、今この写真で見える部分は月末の部分なんじゃないだろうか。見えている日数の分から言っても、この原稿用紙の下はみな月間スケジュールだろうからね。日めくりは三日。しかし、月間スケジュールはもう月末まで使われている。こんな奴が几帳面と言えるだろうか？　日めくりをさぼっているか、それとももう次の月の三日になっているのに前の月のスケジュール表を入れたままにしているかのどっちかだ。どちらにしても、僕にはこいつがそんなに几帳面な奴だとは思えないな。職務に夢中でカレンダーまで気が回らないということはあるかもしれないけど」

隆一が唸《うな》った。夏はむっつりと黙り込んでいる。

「すごいなあ。普段の仕事ぶりが窺えるね」

「ま、国民の皆様に給料を払っていただいてますから。少しは役に立たないと」

春はまんざらでもない表情で呟いた。

「さあ、もう一歩進めて、この事件がどうなったかを考えてみよう。この鈴蘭。これは何かの合図じゃないだろうか。近くに同僚がいて、彼の合図で踏み込む準備をしていたのかもしれない。彼は、ご覧のように、鈴蘭をグラスに入れている。一輪挿しではない。恐らく、ここで生活をしていた時に使っていたグラスに花を挿したんだ。誰かを見張っている刑事がだよ、何かの目的なしにそんな優雅なことをするもんか。きっとこれが何かの合図だったんだ。この写真を撮った時点を境にして、事件は動いたのではないかな。僕はそんな気がするんだけど」

春はワインを更に飲んだ。

「もしくは、この花を残して、この部屋で張り込んでいた刑事さんが姿を消してしまったのかもしれない。だからこんな写真が残っていたんだ。うん、その方が説明がつく。そう言えば、なぜこの写真を撮ったかという問題があったね。きっと、刑事さんが行方不明になってしまったので、同僚がこの部屋にやってきたんだ。その時にこの写真を撮ったんじゃないかな。つまり、これは現場検証の証拠写真ということになる。そして、写真だけが残った」

春は、両手を軽く広げて見せた。話が終わったらしい。

隆一は、ひたすら感心して唸り続けている。

「ずいぶん自信がおありのようですけど」

夏が精一杯の嫌みを込めて口を開いた。

「じゃあ、この鉢植えや本はなんなの。こんなに沢山の本を運び込む必要がどこにあるの」

春は落ち着いた表情で答える。

「そりゃあ、文筆業で一日中部屋にいる男が机と椅子だけってわけにはいかないだろう。資料も必要になるだろうし、それらしく見せかけるためにいろいろな本を持ち込んだのさ。だって、見てごらんよ、この本。洋書に雑誌に本、テーマもバラバラだし、いろんな人間の本を集めてきて持ち込んだとは思えないかい？　この日めくりとスケジュールにしたって、生活臭さを出すためにあっちこっちから集めたという方が説明がつくね。鉢植えの方は、もっと実用的な理由があると思う。しょっちゅう窓からきょろきょろ外を見ていたら何を見ているんだろうと思うけど、鉢植えが窓の外に置いてあれば、それを口実に窓を開けたり窓を見たりすることができるじゃないか」

夏はぐっと詰まった。しかし、こらえて質問を続ける。

「この黒い棒はなに」

「ルーペというのも近いけど、望遠鏡か双眼鏡の端《はし》っこじゃないかなあ」

「納得いかないわ。この鈴蘭はどこから持ってきたのよ。刑事がわざわざ鈴蘭の花を探してきたわけ？　そうそう近所の花屋に置いてあるようなものじゃないわ。鈴蘭の花を選んできた理由が分からないわよ」

「そういうのをいちゃもんって言うんだよ、夏」

「いちゃもんとは何よ」

「まあまあ」

険悪な表情の二人をとりなすように、隆一が声を掛けた。気まずくワインを呷《あお》る春と夏。隆一は苦笑しながら頭を掻《か》いた。

「いやあ、二人とも凄いよ。さすが、関根家は血が濃い。二人が優秀な人材であることがよおく身に染みて分かりました。おみそれしましたよ」

二人の機嫌を取るように、愛想笑いを浮かべている。

「そうよ、こんなゲームを仕掛ける隆一さんが悪いのよ。あたしたちが真剣になること分かってるくせに」

夏はふくれっつらだ。

「ところで、解答はどうなんですか。これはいったい誰の部屋なんです？　どんな人物で、どんなことをした人間なんですか？」

春が思い出したように隆一の顔を見た。

夏もハッとしたような顔になる。

「そうよそうよ。解答を聞かなくちゃ。まだ春が正解だと決まったわけじゃないんだものね。誰の部屋なの？　ひょっとして、有名な人？」

二人とも勢いこんで隆一に迫る。

隆一は困ったような顔になった。

「まさか、こんなに二人が真剣になるとは思わなかったなあ。君たち、ほんとに推理小説が好きなんだね」

「教えてくださいよ」

「誰なの？」

隆一はもじもじする。言いにくいらしい。

「僕としては、軽いジョークのつもりだったんだけど。親父《おやじ》の部屋を整理したら出てきたそうだから」

「えっ？　僕たちの知ってる人間なんですか？」

春は顔色を変えた。隆一はちらちらと二人の顔を見ていたが、決心したようにぽつんと呟いた。

「――多佳雄さんだよ」

「は？」

春と夏は揃《そろ》ってあんぐりと口を開けた。隆一は小さく溜め息をついた。

「関根多佳雄。君たちの親父さんさ」

「お父さんの？」

春と夏は二人で同時に叫んだ。

一瞬、三人の間に気まずい沈黙が降りる。

「二人とも、ちょびっとずつ合ってたんだけどねえ」

隆一は慰《なぐさ》めるように言った。

「確かに春の言うとおり、『犯罪に関係する』と言ったのはちょっとした引っ掛けだったんだよ。判事は犯罪に関係するものね。身長に関しても、春が合ってたね。多佳雄さんは何しろ、あの年代の人にしては若い頃から大柄な人だったからなあ。でも、妻帯者という点では夏ちゃんが合ってたね。この時、多佳雄さんはもう桃代《ももよ》さんと結婚してたから」

春も夏も、返す言葉がない。

少し経って、ようやく春が口を開いた。

「ここ、どこなんですか」

「多佳雄さんの実家。おじいちゃんの家だな。鈴蘭は庭に咲いてたんじゃないかな。おばあちゃんは、庭仕事が得意だったそうだから。これは、おじいちゃんが亡くなった頃に撮った写真だったみたい」

「じゃあ、この原稿用紙は」

「当時、法学雑誌に原稿を依頼されてたらしいんだけど、なかなか進まなかったらしくってね。うちの親父と酒ばかり飲んでたみたいだよ。その時酔っ払った親父が撮った写真らしい」

「机の上にはじっこが見えてる、この黒い棒は」

「靴べらだって。多佳雄さん、若い頃は孫の手代わりに長い黒の靴べらを使ってたそうだ」

「ねえ、春。あたし、これ、分包紙だと思ってたんだけど、違うわ」

すっかり毒気を抜かれた様子の夏が、机の上を写した写真を指差した。

「よく見たら、キャラメルの包み紙よ」

「うん。そうだね」

隆一が、気の毒そうな顔で頷いた。

「夏ちゃんがあまりにも自信満々だったから、とても言い出せなくってさ。多佳雄さんの大好物だった森永《もりなが》のミルクキャラメルだね。酒とキャラメルで原稿を書いてたって親父、笑ってたよ。今日、春と夏ちゃんに会うって言ったらこの写真を出してきてくれたんだ」

春と夏は、ますます黙り込んだ。

春は、写真を取り上げてまじまじと一点を見つめた。

「どうしたの?」

「見ろよ、これ。情《なさ》けない」

春はいまいましげに窓辺の写真を指差した。

「この洋書。気が付くべきだった。一番上に置いてあるのは、ヴァン・ダインの『グリーン家殺人事件』じゃないか。ここを見れば、この部屋の持ち主がミステリ・ファンだと分かったはずなのに」

春と夏は、惨《みじ》めそうな表情で互いの顔をちらりと見た。

確かに、言われてみればこれはあの父親の部屋だ。大雑把と見えて細心、厳格なようでいてとぼけている。趣味も興味もてんでんばらばらな方向に向いている天邪鬼。切り子のグラスでウイスキーを飲み、キャラメルを肴《さかな》に原稿を書き、何時間も座っていて平気かと思えば、いきなり窓ガラスを磨きだす。この部屋があの男、関根多佳雄の部屋だと言われれば誰よりも納得できるではないか。

「——えーと、ところで、僕、そろそろ帰りたいんだけど。ちょっと仕上げたい論文があってね。お勘定《かんじょう》は、お願いしてもいいのかな？　どうやら、僕、賭《か》けに勝ったみたいだし。ね、いい店だろう？　君たち、もっとゆっくりしていくといいよ。兄妹、久し振りで会ったみたいだし、積もる話もあるんじゃないの？」

隆一はそわそわと帰り支度《じたく》を始めた。

春と夏は上の空で挨拶《あいさつ》をし、隆一を店から送り出す。

二人はワイングラスの脚を握ったまま、口をきこうともしない。

カウンターの中の主人が、お水を出してくれた。

「くやしいっ」

夏が突然、カウンターの上に突っ伏した。

「まあまあ」

春は妹の肩を叩いた。夏はキッと顔を上げた。

「春、飲みましょう。あたし、この間、アメックスがゴールドカードに昇格したんだ」

「そうだな。たまにはいいか」

夏は水を一息に飲み干すと、主人にワインリストを頼んだ。

二人がこの夜、相当悪酔いしたのは言うまでもない。

往復書簡

謹啓

風薫る季節となりましたが、お元気でいらっしゃいますでしょうか。

私はとても元気です。ようやく生活にリズムが出来てきて身辺が落ち着きました。

東京生まれで東京育ちの私（しかも、高校時代まで山手線《やまのて》以外乗ったことがなく、天然ボケという点では友人の間でもピカ一と言われていたこの私が！）が、よりによって新聞記者などという職業につき、初めて家を離れ、しかも最初の赴任先が遠い北国ということで、親も友人も心配していましたし、何より本人が面くらっていましたが、ようやく慣れてきて周囲を見る余裕が出来てきました。こちらの支局はこぢんまりとしていて、とっても家庭的です。支局全体が一つの家族みたい。先輩方の配慮で、思ったよりも早くすんなり現場に溶け込むことができました。そこで、今マイブームとして、いつも切手を貼《は》った封筒と便箋と万年筆を持ち歩き、待ち時間や空き時間が出来ると、お世話になった方々や、連絡する暇《ひま》のなかった友人たちに手紙を書きまくっているのです。告白いたしますと、実は伯父様も、その犠牲者の一人となったわけです。今は、駅の喫茶店の中です。次の約束までの時間が少し空いてしまったので、風に揺れるケヤキの葉っぱを見ながらペンを走らせています。

それはさておき、こんなにご挨拶《あいさつ》が遅くなってしまって申し訳ないのですが、就職の時には伯父様にはたいへんお世話になりました。改めて深くお礼を申し上げます。伯父様って本当にお顔が広いのですね。どこでも伯父様のお知り合いの方が、よくして下さいます。それにすっかり甘えてしまっている自分が情けないのですが、右も左も分からず、迷惑ばかり掛けている今の状況を思うと、せいぜい出世払いでいつかお返しできることを祈るばかりです。

それにしても、社会人て面白いですね。何をしても、どこに行っても、誰と話をしても今は面白いです。こうしてみると、学生ってなんて狭い世界で見栄《みえ》ばかり張り合って、単調なつまらない世界だったんだろうと思います。自分では、今までずっと人見知りをする内向的な性格だと思っていたのですが、このような仕事について、自分の意外な一面を見たような（そしてこちらが本分だったような）気がしています。

いろいろご報告したいこと、気が付いたことがあるのですが、そろそろ移動時間なのでまたお手紙差し上げます。桃代《ももよ》伯母様によろしくお伝え下さい。ついでに、桃代伯母様からうちの母にあんまり心配しないように伝えていただけるともっと嬉《うれ》しいです。

ではまた。

敬白

五月十一日　　　　　　　　　　　　　　　　　　　　　　孝子《たかこ》

拝啓

お手紙拝見いたしました。溌剌《はつらつ》とお仕事されているご様子、安心いたしました。日々素直に感ずるままに吸収、成長していかれることをお祈りいたします。やがて失敗したり壁にぶつかったりすることもありましょうが、後悔することはありません。それが若さというものなのですから。また、今は手探りしつつ全力疾走をしているのでしょうが、時には立ち止まって休息を取ることも大事です。老婆心ながら、心の隅に留め置かれますよう。

この歳になると、貴方《あなた》のような若い女性から手紙をいただくことなど皆無に近いゆえ、久しぶりに華やいだものを感じました。かえってこちらより御礼を申し上げたいほどです。

それにしても、我が妻桃代を始めとして、下条《しもじょう》の家の女性陣の血が脈々と受け継がれていること、貴方の就職の話を聞いた時にまざまざと実感いたしました。だいたい下条の女性陣はみな一見箱入りで世間知らずと見えますが（失礼）、その本質的な部分での聡明さ、大胆さ、人間というものの本質を見抜く直感力は、長年人間の虚実を相手に仕事をしている私ですら敬服させられるものがあります。貴方を採用した会社の方もその辺りのところを感じられたのでありましょう。益々のご活躍をお祈りいたしております。

敬具

渋谷《しぶや》孝子様

五月十九日　関根《せきね》多佳雄《たかお》

前略

お手紙ありがとうございました。

伯父様の予感どおり、ここ数日ケアレスミスが続いて支局長からお目玉をくらったり、取材した方からお叱《しか》りを受けたりして、落ち込んでいたところです。やっぱり、仕事って、甘くはないですね。そんなところへ実にタイミングよくお手紙をいただいたので、不覚にもほろりとしてしまいました。お恥ずかしい。でも、手紙って本当にいいものですね。実感しました。遠いところで誰かがペンをとり、字を綴《つづ》り、ポストに封筒を入れてくれる。これだけのことが、どんなに有り難いことか、しみじみ感じさせられます（相手にもよりますが）。

就職を機にパソコンを購入しました。友人たちもほとんどが持っていますし、仲の良かった友人は皆東京で働いていますので、リアルタイムで電子メイルがやりとりできるのは心強く励《はげ》まされるのですが、それでもやはり手紙は嬉しいですね。この間も書いたように、少し改まった気分で友人たちにも手紙を送ったのです。するとほとんどが「手紙着いたよ」とすぐに電子メイルで返事が返ってきたんです。うまく説明できないのですけど、嬉しいような、つまらないような複雑な気分でした。仕事をしていても、そんな気分になる時があるんです。今って、本当に手を触れることが減っているでしょう。キーボード越しのやりとり、受話器越しのやりとりで、パソコンやフロッピーディスクの中に、見えない情報が蓄積されていく。この中に探しているものがあると言われても、その情報量が実感できない。このイライラって、あれなんですね、閉架式の図書館に行った時の感覚。普通の図書館なら、ぶらぶらと歩いて目に留まった本を抜き出して、本を撫でてさすって拾い読みをして、その本の持つ情報を感じようとする。視界の片隅になんとなく入っていたフレーズが、後で気が付くと重要な意味を持っていたりする。でも、閉架式の図書館ではそういうことができない。検索して選んだものしか見ることができない。そういう、無意識のうちに得ていた知識が、どんどん手の届かないところに行っているような気がするんです。もちろん、膨大な情報を検索し画面に呼び出すということで、それまで手作業でやっていたことに比べれば作業の能率は桁《けた》違いに優《すぐ》れているのでしょうが、今、世界全体が、閉架式の図書館になっているんじゃないでしょうか。いろいろな情報が手に入るようでいて、かえって手に触れることのできない情報、見せてもらえない情報がそれ以上に増えているのではないでしょうか。電子メイルでのやりとりも、手に触れることがないうちに消去されて、人知れず何もなかったかのように真っ白な画面が残されている。そのうちに、何かの拍子に全てがリセットされて、人類の歴史の蓄積そのものが消滅してしまうんじゃないかなんて妄想を抱くことがあります。

ここまで書いたものを読み返してみて、今あぜんとしているところです。私ったら、いったい何を書いているのでしょう！　あまりの青くささに赤面しています。書き直そうかとも思いましたが、そもそもは伯父様にいただいた手紙がとっても嬉しかったということで、お許し下さい。このところ、奇妙な放火事件が続いていて、睡眠時間が著《いちじる》しく不規則になっているんです。もう少し落ち着いたらまたお手紙差し上げます。とにかく、悩める社会人一年生に、お手紙ありがとうございました。ではまた。

草々

五月二十三日

孝子

前略

お手紙、面白く拝見しました。今の若い人はコンピューターを当たり前のように使いこなしているので、誰もがその世界、その将来に不安なぞ抱いていないと思い込んでいたのです。自分の先入観を恥じておるところです。

いつの世も、情報は庶民が権力者に対する重要な武器でありました。権力者がどんどん巨大に、ボーダーレスに、しかも見えにくくなっている現代、情報の隠蔽《いんぺい》・攪乱《かくらん》はますます巧妙になっていると思われます。しかし、どんなに便利になろうと、最後は嗅覚と情熱なのです。いくら役に立つ情報が目の前に垂れ流されようと、そこから何かを感じ取り選びだせる人間の数はいつの世にもそんなに多くは存在しません。私は、貴方がその一人となれるであろうことを強く信ずるものであります。

さて、話は変わりますが、今後のさらなる研鑽《けんさん》を期待しております。前回の貴方の手紙の最後に、『奇妙な放火事件』なる部分がありました。とても気になります。もしよろしければ暇を持て余す老人のために、その事件の内容を教えていただけないでしょうか。

実は、貴方の手紙を拝見して他にも少し気になる部分がございました。随分《ずいぶん》と私の手紙に感激していただいたようですが、なぜでしょう。

確かに仕事で失敗した時にタイミングよく手紙が届いたのであれば理解できないことはありませんが、貴方は愚痴《ぐち》ればすぐに電子メイルで応《こた》えてくれる友人をお持ちのはず。では、もしかして『よい内容の手紙』という点に感激していただいたのではないでしょうか。つまり、貴方は最近『よくない内容の手紙』を受け取られていたのではないですか？　『遠いところで誰かがペンをとり、字を綴り、ポストに封筒を入れてくれる』。貴方はこう書かれている。普段、手紙を貰《もら》ってもなかなかそこまで考えません。貴方は、最近、そういう行為を行なう誰かを何度も想像したのではあるまいか。しかも、そのあとにはカッコ書きで『相手にもよりますが』と書いてある。つまり、よからぬ相手がそういう行為をしたので、不快な目に遭《あ》われたのではないですか？　しかも、更《さら》に深読みをさせていただければ、最近取材対象者から文句を言われたというくだりもありましたし、何か取材した事件がそれに関連しているのではないかという憶測も生まれます。

疑い深い性格ゆえ、勝手なことを書きましたが、こちらもご容赦のほどを。最後の部分は読み飛ばして結構ですので、ぜひお手すきの時に『奇妙な放火事件』について教えていただければ幸いです。

草々

関根多佳雄

五月二十八日

渋谷孝子様

前略

お手紙ありがとうございました。

とっても驚きました。伯父様が判事だったことは聞いていましたし、推理小説がお好きともうかがっておりましたけれど、それをこんな形で知らされるとは。

確かに、伯父様の手紙を受け取る前に、匿名《とくめい》で嫌な手紙を受け取っていたのです。市内の繁華街の郵便局の消印で、新聞社支局宛《あ》てでしたけれど、私を名指しで送ってきました。知らない相手が自分を知っているというのは気持ちのいいものではありません。地域の人にもよくしてもらっていただけに、どこかで悪意を持って私を見ている人がいると思うと、外を歩いていても落ち着かないし、目の前にいる人の笑顔を素直な気持ちで受け取れなくて、困っています。今まで、ただののどかな風景だったものが、まるで違ったものに見えてきます。

『余計なことに首を突っ込むな。カマトトぶってれば、どこにでも土足で上がれると思うなよ』

書かれていたのはたったこれだけです。きっと左手で書いたのでしょう。筆跡を特定できないように狙《ねら》ったと分かる、おかしな字でした。見た瞬間、心臓がすっと冷たくなって、目に全文が焼き付きました。ものすごいショックでした。そんなふうに見ている人がいるということに。そして、これを書いた人物が明らかに私を知っているということに。でも、実はもっとショックを受けたのは、私がこれを上司や同僚に見せた時の彼等《かれら》の態度なんです。もちろん、みんな私に気にすることはないと怒っていましたし、私に同情してくれていました。私を教えてくれている先輩なんか、忘れろって言って、すぐに目の前でその手紙を破り捨ててくれました。でも、ちらっと——本当にほんの一瞬ですが、みんなその手紙の内容に対してシンパシーを感じていることが分かったんです。私の気のせいかもしれませんが、私のような若い世間知らずの娘が新聞記者をしているということに対する、彼等の無意識の反発みたいなものを。普段はそんなこと、露《つゆ》ほども感じさせません。そんな差別はしちゃいけないというのを、みんなよく分かっています。だけどやっぱり心の奥底では感じているんですね。こんな話を伯父様にしてもしょうがないと思うのですが、あまりにもショックだったもので、すみません。誤解しないでほしいのですが、私が一番ショックだったのは、それほどみんなに守られていたということに今まで全然気が付いていなかった自分に対してなんです。やれやれですね。

さて、長々と愚痴をこぼしてしまいましたが、この手紙、内容自体はどうとでもとれます。私は日々、いろいろな方と接触し、取材していますから、いったいどの件のことを指すのか見当もつきませんし、単に私個人に対する反感ともとれます。これが、伯父様が興味を持たれた『奇妙な放火事件』に関係するのかどうかも分からないんです。

では、お待ち兼ねの放火事件の方に移りますね。

放火魔というのは古くからいる犯罪者のタイプですけど、この放火魔は、どうやら社会に対して不満を持っているらしいんです。ここ数ヵ月で、火をつけるのはいつも明け方。つけられたのは、警察署、市役所、うちの支局、あと、なんと消防署にまで。でも、たいした放火じゃないんです。どう見ても燃え広がりっこない、建物の外側に新聞紙を積んで火をつける。実際、消した跡が残ってた時もあったんですよ。なんでわざわざ放火してから消したんでしょう？　うちの支局が放火された時なんか、すぐに見つかりました。今年、うちの新聞社は百周年を迎えるので、記念事業の打ち合わせでみんな遅くまで残っていたんです。発見して、消し止めて、写真撮って、すぐに記事になりました。会社にいながらにして事件現場が取材できるなんて能率いいねって冗談を言ったほどです。今のところ、うちの内部では、心の底では社会に対する不満がくすぶってるけど、実生活では気の弱い、三十代から四十代の男性っていうのが予想されている犯人像です。伯父様はどのような犯人像を描かれますか？

でも、最初は官公庁を中心に放火が続いていたのですが、このところ、変わってきたんです。私がよく行く喫茶店の前の街路樹とか、近所のバス停とか――何を考えているのかさっぱり分かりません。もしかすると便乗した誰かがやっているのかもしれませんね。でも、私は現場を見て、新聞の積み方や、燃え方なんかから、同じ犯人に違いないって言ってるんですけどね。どうですか？　伯父様の興味をそそるような事件でしたでしょうか？

明日からは、嫌なことは忘れて元気に働きます。では、また。

草々

六月六日

孝子

前略
お手紙拝見いたしました。働く女性というのが、いかにいろいろなものと戦っているのかを実感させられた次第です。しかし、社会も変わりつつありますし、貴方にはしなやかな靭《つよ》さでそれを乗り切っていって欲しいと祈るばかりであります。こんなことしか言えない自分に、無力感を覚えます。
さて、放火事件の方ですが、年寄りの好奇心のために説明していただきありがとうございます。放火する人間の心理というものにはとても興味をそそられます。以前、日本文学を「妊娠小説」という切り口で論じた評論が評判になりましたが、私はひそかに「放火小説」というものもあるのではないかと思っております。その代表的なところはもちろん『金閣寺』となりましょうが、物語の大詰めにおいて火を放ち、全てを帳消しにしてしまいたいという願望を持つのは日本人のみならず外国の小説にも見られ、興味深いところであります。放火ではありませんが、『風と共に去りぬ』でスカーレットが炎の中を脱出する場面なども、物語の転回点として重要な意味を持ち、ヒロインが新しい価値観へと踏み出す契機となるのですから、「放火小説」の変形となるのではないかと睨《にら》んでおるのです。火を放つことによって、何か新しいものが見つかるのではないかと考える人間は多いようです。全てを無にして、新たにやりなおしたい。火を放った自分を注目してもらいたい、注目されることで自分が変わるかもしれない、注目された自分というものを見てみたい。その心理は複雑であり常人の想像を超えています。しかし、それでもいつか私見をまとめてみたいという野望はあるのですが、いつになることやら。

つまらぬ話をしましたが、貴方の事件の説明を読んでいて、幾つか疑問を覚えました。ご多忙のところまことに恐縮ですが、次の事柄を教えていただけないでしょうか。

私が興味をそそられたのは、前半の公共機関への放火ではなく、むしろ後半の放火事件です。そちらの放火事件の日時と詳しい場所を教えていただけたらと思います。そして、もしよろしければ――その近辺の地図など一緒に送っていただけると、たいへんありがたいのですが。ずいぶんわがままを言う老人だとお思いでしょうが、何卒宜《なにとぞよろ》しくお願いいたします。

草々

関根多佳雄

六月十日

渋谷孝子様

前略

「放火小説」という着想、とても面白かったです。人間、太古の昔から火を見ると興奮するようにインプットされているのですもの、潜在的にいろいろな欲望が隠されているのでしょうね。

さて、今まで放火された場所を地図に赤で印を付けてみました。小さな街ですから当然かもしれませんが、特に後半は私の生活圏内ばかりで、本当に身近に犯罪者がいるんだなあという実感でいっぱいです。つい先日、また新たな放火事件がありました。私がいつも寄るコンビニエンス・ストアで、店の一部が黒焦げになっていてぞっとしました。ここは二十四時間営業ではないので、店を閉めている僅《わず》かな時間に放火されたようです。いったいいつまで続くのでしょう？　こういう人たちは、見つかるまで続けるのでしょうか？　なんだかとても嫌な感じがします。この地図から、伯父様は何かを発見できますか？　私は現場にいるためにかえって見えていないものがあるのかもしれません。

そうそう、うちの支局長も伯父様を知っていましたよ。昔の大きな裁判の話になって、それを伯父様が担当されていたことを知ったので、今その本人と文通している話をしたら、みんな驚いていました。少し得意な気分です。

梅雨入りが近いのでしょうか。ぐずぐずしたお天気が続いています。うちの郵便受は小さいので、ダイレクトメイルや宅配ピザのパンフレットですぐにいっぱいになってしまいます。蓋《ふた》は開いたままになるわ、郵便物は濡れてごわごわになるわで悩んでいます。ビニールで蓋の上を覆《おお》っておこうかなとか考えているんですけど、何かいい知恵がないか、伯母様に聞いていただけますか？　ではまた。

草々

六月二十日

孝子

＊

七月五日付K新聞夕刊より抜粋《ばっすい》。

A県H市のH警察署は、市内で三月より頻発《ひんぱつ》していた連続放火事件の容疑者として、無職緑《みどり》川浩一《かわこういち》（三六）を逮捕した。緑川容疑者は、今年三月より市内の警察署、市役所、消防署、自分が勤務していた新聞社支局等、十数か所に放火した疑いを持たれている。動機は不明だが、H警察署では、すべての犯行が緑川容疑者によって行なわれたとは考えにくく、共犯者がいたのではないかとみて、緑川容疑者から詳しく事情を聞くことにしている。

＊

前略
伯父様、本当に、本当に、ありがとうございました。どんなに感謝しても、感謝しきれないくらい。私って本当に馬鹿ですね。自分のすぐそばにいた犯罪者にも全然気が付かなかったんですから。支局長からも、くれぐれもよろしく伝えるようにとの伝言でした。
それにしても、まさか、緑川先輩が犯人だったなんて。そのことを知って、みんながどんなに驚いたか、伯父様には想像できないと思います。私も、未《いま》だに信じられません。入社以来、ずっと私に仕事を教えてくれていた先輩なんです。手紙を破り捨ててくれた時だって、どんなに嬉しかったか――でも、あの手紙も、先輩が自分で書いて私に送ったものなんですね。そう考えると、とても複雑な気分で――でも、先輩は、きっと、ほんとうに、私に首を突っ込んでほしくなかったんです。とても真面目《まじめ》な人だし、悩んでいたんじゃないでしょうか。
支局長も、薄々気が付いていたようです。緑川先輩の奥様が、精神的に不安定になっていたことは、みんながなんとなく分かっていましたから。緑川先輩は、真面目で責任感が強くて、仕事ひとすじ。ほとんど家には帰っていなかったんじゃないでしょうか。奥様も真面目な方だったし、緑川先輩が仕事をどんなに大事に思っていたかよく知っていたから、淋《さび》しいとは言えなかったんですね。奥様も仕事を探してらしたそうなんですが、関西の出身で、この不景気では地元以外の人間を雇う余裕はどこもなくて、鬱々《うつうつ》とされていたようです。お子さんもいらっしゃらなかったし、不眠症ぎみだったそうです。不眠症は、明け方が一番つらいそうですね。自殺も明け方が一番多いそうです。それで、ふらふらと出て行って、夫が勤めている新聞社の新聞紙を束《たば》ねて放火を。それが習慣化したようです。

緑川先輩が、奥様が放火をしていることに気付いたのは四月になってからだったそうです。先輩は、便乗犯がいるように見せかけたかったんですね。しかも、奥様のあとをつけていって、奥様がつけた火を消したりしていた。でも、奥様に面と向かってやめろとは言えなかった——奥様がそんなことを始めるようになったのが、自分の責任であるとよく分かっていたのではないでしょうか。先輩がしたことは、奥様をかばうことだった。複数の便乗犯がいるように見せかけて、奥様の犯罪を糊塗《こと》することだった。でも、実は私、いまいち先輩の気持ちがよく分かっていないんです。

あの日、六月二十日に手紙を書いて送ったら、すぐに伯母様から電話が掛かってきたので驚きました。しかも、暫《しばら》く誰にも手紙を書かないように、という伯父様からの伝言でしょう？　びっくりしちゃいました。それから暫くして、いきなり緑川先輩が退職してしまったかと思ったら逮捕されたというし——

伯父様が手を回されたというのは分かったのですが、いったいどうして分かったのですか？本当に、私の手紙から真相を見破ったのですか？　私、もうすっかり好奇心の塊《かたまり》です。うちの同僚と上司も不思議がっています。事件の真相が分かった理由を、きちんと教えて下さい。でないと、伯父様のこと、記事に書いちゃいますよ！　三日以内にお返事下さいね。

草々

七月八日

孝子

前略

いきなりの脅迫文、驚きました。今、慌てて返事を書いています。

とりあえず、事件は穏便な方向で解決した由、ほっとしています。私のあてずっぽうが当たっていてよかったと、胸をなでおろしているところです。

どこから説明したらよいのやら。

まず、私が最初に違和感を感じたのは、前半の放火事件です。

警察署、市役所、新聞社、消防署。確かに、官公庁とマスコミです。社会に対する不満を持つ者が放火をしているように見えますね。でも、本当にそうでしょうか？　社会に不満を持つからといって、自分たちの命や財産を守ってくれている消防署まで放火するというのは不自然ではないでしょうか？　人間は、手紙を読む時は、相手の社会的地位や人柄を思い浮かべながら読むものです。貴方の手紙を読む時は、私は貴方が新聞記者である、という前提のもとに手紙を読みます。それで、この四つの場所を羅列された時に私が感じたのは、これは、どれも地方の新聞記者が行く場所だな、ということです。サツ回りに、記者クラブに、自分の会社。事故や火事が起きた時に取材に行く消防署。ひょっとすると、犯人は新聞記者に恨みを持っているのかもしれないな、とちらりと考えました。でも、それはただのあてずっぽうです。しかし、貴方の手紙ではそのあとに、新聞社支局に放火されたのは、「百周年の記念事業の打ち合わせのためにみんなが残っている時だった」と書かれていましたね。何かの記念事業があると、仕事は増えます。ただでさえ多忙を極《きわ》める新聞記者に、イレギュラーの行事が加わればますます忙しくなるでしょう。それで、私はなんとなく、帰ってこない新聞記者を待っている女性が怒っているのかもな、と思いました。亭主を帰さない新聞社なんか、なくなってしまえ、というわけです。もちろん、むちゃくちゃな理屈です。新聞記者を亭主に持つ女性はごまんといるのですから、ひどいいいがかりだと非難されても文句は言えません。でも、私の「放火小説」論では、火をつけるというのは、誰かに振り向いてもらいたい、注目してもらいたいという動機が第一でありますから、激務の新聞記者を亭主に持つ女性というのはこれにぴったりあてはまるのです。しかし、ここまでは、はっきり言って私の妄想《もうそう》でした。

ところが、そのあと、貴方の手紙には、放火される場所が変化してきたという記述がありました。この点が、がぜん気に掛かったのです。

私は、漠然と、犯人が貴方の周辺に近付いてきているような気がしたのです。

もし、私の妄想が正しいと仮定すると、放火魔の女性は、貴方と同じ勤務先の新聞社の男性の妻であるということになる。だとすると、その男性は、たいして人数のいない家庭的な職場であることから、貴方の知り合いである可能性は高い。

もしかすると、その女性は、貴方と亭主との関係を疑い、貴方のせいで亭主が帰ってこないと思い込んでいるのかもしれない。そうなれば、彼女は貴方をつけ狙う可能性がある。こう考えたわけです。

そう考えた時、私は貴方の手紙の別の記述を思い出しました。貴方が貰った匿名の手紙のことです。貴方の先輩が、すぐにその手紙を破り捨てたということでしたね。

実は、正直言って、私はその破り捨てた男が貴方にその手紙を書いた人物ではないかと、貴方の手紙を読んだ瞬間から疑っていました。

普通、組織というのは、自分のところに来た郵便物をなかなか捨てません。特に、不審なものや、顧客からの手書きの文書というのはのちのちのことを考えると捨てられないものです。私の知っている会社では、封筒や包み紙なども、いずれ証拠物件になるかもしれないからと全部取っておいているほどです。宛名の筆跡、消印、使った切手や用紙など、手紙は差出人の情報をたくさん持っています。ジャーナリストである新聞記者ならば、いくらひどい内容の手紙とはいえ、読者からの手紙をその場で破って捨てるというのは不注意な行為なのではないでしょうか？　なのに、すぐにそれをしたということは、彼が既《すで》によくその手紙の内容を知っていて、なおかつ証拠湮滅《いんめつ》をしたいと思った場合のみです。

放火魔は、その男性の妻かもしれない、と私は思いました。貴方に匿名の手紙を送ったのは、彼の妻なのではないだろうか。彼はそのことに気付いて、証拠湮滅を図《はか》ったのではないだろうか？

しかし、そこで気になるのは手紙の内容です。貴方が受け取った手紙、あれはどうみても女性の文章ではありません。もし彼の妻が貴方に手紙を出すのならば、亭主を取らないでくれ、もしくは、誘惑しないでくれ、などの表現になるはずです。貴方にあの手紙を送ったのは、貴方の仕事の内容をよく知っている男性だとしか思えません。そうすると、やはりあの手紙を書いたのは、貴方の目の前で手紙を破り捨てたその男なのです。じゃあ、なぜ彼は貴方にそんな警告を送っているのか？

そのわけを考えているうちに、官公庁や新聞社に放火したのは彼の妻だが、それ以降の放火は彼自身が行なっているのではないか、という考えが浮かびました。さて、それはなぜでしょうか？　自分の妻の犯罪をカムフラージュし、複数の放火魔がいると思わせたかった。妻にアリバイがある時に別の場所で放火が起きれば、当然、妻が疑われる可能性は低くなります。これがその第一の理由でありましょう。しかし、それだけの理由で、社会的地位のある彼がそんな行為をするとは思えない。なぜだ？　私は考えました。

私は貴方に貰った手紙を読み返してみました。その中にヒントがあるかどうかは分かりませんでしたが、とにかく何度も読み返してみたのです。

そこで、おぼろげながらに気付いたことがありました。

貴方に仕事を教えてくれた男、貴方に匿名で手紙を送り、それをあなたの目の前で破り捨てた男。たぶん、彼はとても優秀な人間なのだと思います。家庭的な職場、ほとんど一日中仕事をしている職場。貴方と過ごす時間が多い彼は、真っ先に貴方の素質を見抜いたに違いありません。

つまり、貴方が人間の洞察力《どうさつ》に優れていること。直感で真相に近付く才能を持っていること。匿名の手紙を受け取った時に、貴方が感じ取った周囲の欺瞞《ぎまん》など、私でも感心するほどなのですから、日々現場で一緒に仕事をしている彼には、貴方のジャーナリストとしての可能性がはっきり見えたことでありましょう。それは彼を警戒させました。自分の妻や自分の犯罪、もっと言えば正面から妻と向き合えず妻の犯罪を隠蔽することに逃げている自分の愚《おろ》かさをいつか貴方に暴《あば》かれることを恐れていたのではないかと思われます。

しかも、もっとまずいことに、失礼ながら、貴方は根っからの育ちの良さから、駆け引きというものを知りません。自分が感じたことをパッと口に出すし、たとえ賄賂《わいろ》などを持ち出したとしても、そんなものが通じる相手ではないでしょう。貴方が自分では何の気なしの発言をしたつもりでも、彼とつきあいの長い他の人間が、貴方の発言を聞いて真相を看破《かんぱ》するやもしれません。彼は、教育係としてそばで仕事をしながら、さぞかしひやひやしていたに違いありません。そして、彼をもっと怯《おび》えさせたのは、貴方の手紙です。仕事の待ち時間や、空き時間に、日々の事件をさらさらと手紙に書いて友人たちに送っている貴方を、彼は身近で見ていたのです。その手紙に、貴方自身も気付かない余計なことが書かれているかもしれない。彼はそこまで疑っていたのではないかと思われます。もしかすると、彼はかなりの被害妄想に陥《おちい》っており、精神的に追い詰められていたのかもしれません。

私は、貴方から、放火場所の地図を受け取ったのち、密《ひそ》かに、そちらの方面にいる知り合いに現地を見て貰いました。街路樹の植え込み、喫茶店の近く、コンビニエンス・ストアの近く。そして、その近くには、やはり、私の予想したものがありました——郵便ポストです。貴方の家や、会社の近くの喫茶店。つまり、貴方が空き時間に書いた手紙を投函する可能性のある郵便ポストを燃やすことが、彼の放火の目的であったのです。実際、何カ所かはポストの中の郵便物まで燃やされていたそうです。むろん、ポストばかりを狙ったのでは郵便物が目的だとばれてしまいます。だから、関係のないところも幾つか燃やしましたが、それは貴方の出す手紙を燃やすことが目的であることを隠すためのカムフラージュだったのです。最近の放火場所が、貴方の生活圏に重なっていたのはそのためでしょう。それに、貴方の生活圏は、同じ職場の彼の生活圏でもあったのですから。

彼は追い詰められていました。貴方の書く手紙が、すっかり強迫観念になっていたのです。決定的なのは、貴方が会社で支局長とした話でした。貴方は、職場で、判事だった伯父と文通をしているという話をしましたね。彼はそれを聞いて震え上がりました。貴方が出す郵便ばかりでなく、貴方に来る郵便も気になり始めました。彼が貴方の家の郵便受をいじりだすようになったのではないかということを、私は貴方の六月二十日付の手紙を読んで不安になったのです。もしかすると、彼は私が今度出した手紙を貴方の郵便受から抜いて読むかもしれない。それで、私は貴方から六月二十日付の手紙を貰った時点で、貴方に手紙を出すのをやめたのです。自分の犯罪がばれたと気付いたら、追い詰められた彼が何をしでかすか分かりませんでしたからね。

私はさまざまな縁故を使って、貴方の新聞社の支局長から、彼に話をしてもらうことにしました。聞いたところによると、彼は、むしろ肩の荷を下ろせてホッとしていたようでした。自首してくれてよかったと思います。奥方と自分の罪に正面から向きあうことで、二人の関係を新たに築きあげていってほしいと希望しています。

これが、私が貴方の手紙から読み取った、ことの顚末《てんまつ》です。記事にするのだけは勘弁していただきたい。私が協力をお願いした方々も、多分このことが明るみに出るのは喜ばないと思いますのでね。

それに、今回は私が先回りして手を打ってしまったけれど、遠からず貴方も真相には近付いていたはずです。そもそも貴方が私に手紙を書いてみたくなったというのも、自分が五感で感じている某《なにがし》かの緊張感や悪意を誰かに訴えたかったからなのではないでしょうか。そういう感覚をこれからも大事にしていただきたいと切に願っております。

久し振りに長い手紙を書いて疲れました。今度は気軽な手紙にしたいものです。

草々

七月十日

関根多佳雄

渋谷孝子様

前略

ご無沙汰しておりますが、お元気でいらっしゃいますか？

私は元気です。緑川先輩が抜けたあと、優秀な人だっただけに穴を埋めるのはとてもきつかったのですけれど、我ながらどこにこんなバイタリティがあったのかと思うほど、このところテンションが上がっていました。秋に、一人異動してくることが決まって、物理的に楽になると知って、安心するのと同時に気抜けしてがっくりきたところです。

伯父様とやりとりしたあの手紙をよく思い出します。短い夏休みを取って、電子メイル以外で久々に友人に会っておしゃべりをしまくった時に、あの『世界が閉架式図書館になりつつある』というたとえを出したところ、みんな、それは分かると言っていました。

前にCDが発売された時、あっというまにCDが普及して、LPレコードが姿を消してしまったことがありました。レコード針を作っていた工場が、たちまち閉鎖に追い込まれたというニュースを覚えています。けれど、暫くすると、やはりLPレコードの良さが見直されて、今では盛り返し、一定のシェアを保っています。どちらかがどちらかを駆逐《くちく》するのではなく、アナログとデジタルの両立する世界、それが一番健全な世界なんじゃないでしょうか。

さて。

実は、私、このあいだH警察署長の花村《はなむら》さんとお話をしました。ここまで言って、ピンときたでしょうか、伯父様？

伯父様、何台もパソコンをお持ちだそうですね。しかも、電子メイルが大好きだと伺《うかが》いましたよ。聞くところによると、あの放火事件の時も、私があの事件に言及した手紙を出したあとに、署長のところに照会が来ていたとか。古いお知り合いだそうですね。

支局長も、お芝居がうまいんだから。私が六月六日付の手紙を出す頃には、緑川先輩のデータや、放火場所のデータも全部手に入れていたってお話じゃないですか。

私、てっきり伯父様が私の手紙だけであの真相を推理したのかと思っていたのですが、伯父様は電脳生活を駆使して真相に辿《たど》り着いていらっしゃったのですね。年配の方はパソコンに触らないなんて先入観にとらわれていた自分を、ジャーナリストとして恥ずかしく思います。いいえ、決して怒ってるわけじゃないんです。実は、また不思議な事件がありまして。今度は、私の周りじゃなくって、私のお友達なんです。とっても複雑な話なので、相談に乗っていただけますよね？　私の友人から直接説明させますので、メイルアドレスを教えていただけますか、伯父様？

草々

八月二十五日

孝子

魔術師

地の巻

新年も明けて三日目。ここ数年の暖冬化傾向に従ってか、一月の東北地方とは思えぬほど、空は風もなくすっきりと晴れ渡り、陽《ひ》の当たる場所は汗ばむほどである。街は軽装の人々でごった返していた。

昨年のうちから並ぶ人もいるくらい豪華な景品が付くことで有名な初売りも、お昼頃には一段落して、歩く人も満足げに大きな福袋を両手に抱え、思い思いに引き揚《あ》げようとしている。

大通りは混んでいた。県の内外から初売り目当てにやってくるため、周囲を走るマイカーのナンバープレートの地名もさまざまだ。市営バスと民営のバスが数珠《じゅず》つなぎになってのろのろと進んでいる。バスの運転手は半《なか》ばあきらめ顔でため息をつき、乱暴にブレーキを掛けた。

バスの中も混みあっていて、とても暑い。皆、初売りで買い込んだ福袋で普段《ふだん》よりも大荷物である。バックミラーの中の乗客たちは、紅白の袋で華やかだ。大晦日《おおみそか》に帰ってきた娘夫婦は、小学校に上がった子供のために自転車を買おうと、郊外のスポーツ用品店に並ぶため今朝四時に起きて出て行った。首尾《しゅび》よく目当てのものが手に入っただろうか。

ようやく前の車が動きだし、バスも進み始めた。

正月で気が大きくなっているのか、横断歩道でもない場所で道路を横切ろうとする人が後を絶《た》たない。それも、年配の女性が多い。自分ではバスが近付いてくるより早く向こう側にたどり着けると思っているらしいのだが、どっこい、普段よりも荷物が多いので身体は思ったようには動かない。運転手はイライラしながら前方の家族連れが車の間を縫って道を渡り終えるのを待った。

こんな無茶をされても、引っ掛けでもしたらこちらのせいになるんだからな。

仏頂面《ぶっちょうづら》でアクセルを踏んだ刹那《せつな》、ぱっと目の前に子供が飛び出した。

心臓が凍り付く。

とっさに急ブレーキ。きき―っという凄まじい音。がっくんと車体が止まり、後ろにいる乗客たちが一斉に前につんのめる気配を感じた。悲鳴。たちまち鳴らされるクラクション。

運転手は車が止まったことに安堵《あんど》しながら腰を浮かせて道路を見た。周囲の車のドライバーたちから非難の目を向けられ、怯《おび》えた顔をした子供がこそこそと道を渡っていく。向かい側には先程の家族連れが青い顔をして子供に手招きをしていた。この子だけ遅れていたらしい。親が率先して無理な横断をさせるとは。いったいどういう躾《しつけ》をしてるんだ。

ひやりとさせられた腹癒《い》せも手伝い、ぷんぷんしながら再びハンドルを握った彼は、後方がざわざわしていることに気が付いた。バックミラーを覗き、後ろを振り返る。

前の方の一人掛けの席に座っている中高年らしい男が、前の座席の背中に寄り掛かるように身体を丸めて俯《うつむ》いている。

どうしたんだろう。具合でも悪いのか？

その男の前に立っていた女の子が、隣の母親を見上げて叫んだ。

「おかあさん、この人血ィ流してるよー」

ぎょっとして下の方に目を走らせた。

男は膝の上にデパートの紙袋を抱えていた。紙袋をかばうように両手で覆《おお》っている。

そして、男の膝の上から床へと赤いものがひとすじの道を作っている。


昨夜はちょっと飲みすぎたな。

出席簿の陰で欠伸《あくび》をし、がっちりとした身体をそらせるようにのしのし歩きながら、奥平《おくだいら》はなるべく頭を揺らさないように廊下を進んだ。

わいわいと賑《にぎ》やかな子供たちの声が響いてくる。

朝からこの大騒ぎでは、二日酔いにはつらいな。

廊下の一番奥にあるのが彼の担任する三年一組である。

それにしても、今日はまた一段とうるさい。

クラス替えをしたところ、なぜか賑やかな児童ばかり集まってしまい、その児童に感化された他の児童も騒ぐようになってしまった。他のクラスの担任からは、授業の妨《さまた》げになると白眼視されている。彼等に言わせると、担任の奥平のがさつさと大声に子供たちが影響を受けているらしい。

そりゃあ、確かにがさつと言われて身に覚えがないわけでもない。高校、大学とラグビー部ひとすじで来て、典型的な体育会系。頭は洗うのが楽なのでいつも角刈り、洗濯も楽なのでいつもジャージ姿。だが、人間の中身の方はがさつではないつもりである。

教室に近付くとますますけたたましい叫び声が耳についた。頭に響いてかちんとくる。そもそも、クラス替えのメンバーを考えたのは誰なのだ。去年まで彼等の学年を持っていた先生方ではないか。一年間教えていたくせに、中野《なかの》と大原《おおはら》どころか望月《もちづき》と石井《いしい》まで同じクラスにするという方が間違っている。

「おまえら静かにしろ！　朝っぱらからなんて騒ぎだっ」

思わず怒号混じりの声になって奥平はガラリと戸を開けた。

歩き回っていた子供たちがぴたりと黙りこんでこちらを見る。みんなが立ち上がっていることに奥平は腹を立てた。

「何をうろうろ歩き回ってる！　早く席に着きなさい！」

子供たちはきょとんとした顔でじっと奥平を見ている。その顔を見て、奥平はようやく教室の様子がどこかおかしいことに気が付いた。顎《あご》を突き出して、改めてみんなの顔を見回す。

「どうした？　何かあったのか？」

「先生。椅子がありません」

学級委員の橘《たちばな》が手を挙《あ》げた。奥平は彼の言葉の意味が理解できず聞き返した。

「なんだと？」

橘は困ったような顔でもう一度言った。

「みんなの椅子がありません。朝来た時から、机しかありませんでした。誰かが一組全員の椅子を持っていっちゃったみたいです」

橘は自分の言葉に同意を求めるように周《まわ》りの子と顔を見合わせた。みんなが奥平を見て、自分の足元を見下ろした。

奥平はあっけに取られた。しげしげと教室を見回し、前に歩み出す。

橘の言うとおりだった。

三年一組の教室には、いつもの見慣れたパイプ椅子は見当たらず、三十七人分の机しかなかったのである。

　友達のお姉さんに聞いた話です。

　お姉さんの大学の先輩のS子さんは、ソフトウエア会社にお勤めをしながら市内のマンションで一人暮らしをしていました。S子さんは昔から成績もよく、真面目で責任感もあってみんなに慕《した》われる性格だったそうです。S子さんは新しい商品の開発のために、毎日残業をしていました。ある晩、S子さんは会社で一人で残業をしていました。S子さんの職場はビルの十階です。S子さんは一生懸命コンピューターの画面に向かって仕事をしていました。すると、突然どこからか「もういいかい？」という声が聞こえたのです。

　S子さんは後ろを振り返りましたが、誰もいません。不思議に思いましたが、空耳かなと思ってまた仕事を続けました。すると、暫《しばら》くしてもう一度「もういいかい？」という声が聞こえたのです。S子さんはびっくりしてまた後ろを振り返りました。

　S子さんの後ろは大きな窓になっています。見ると、なんと窓の外に、大きな赤い犬が浮かんでいてS子さんのことを見ているではありませんか。S子さんは怖《こわ》くなってそのまま逃げ帰ってしまいました。そして、翌日からS子さんは高熱を出して寝込んでしまったのです。

　S子さんはマンションの五階に住んでいます。寝込んでから三日間経《た》って熱も下がり、S子さんはようやく起き上がれるようになってカーテンを開けました。

　すると、そこにはあの赤い犬が浮かんでいてS子さんにまたきいたのです。

「もういいかい？」

S子さんは思わず「もういいよ」と言ってしまいました。すると赤い犬は大声で笑いながら窓の外を走っていってどこかへいなくなりました。

更《さら》に何日か経って、まだ会社に来ないS子さんを心配した人が、S子さんのマンションを訪ねてきました。部屋の鍵を開けてみると、全身から血がなくなって皺《しわ》くちゃになったS子さんが死んでいたのだそうです。

赤い犬を見た人は、「もういいかい?」ときかれても「もういいよ」と言ってはいけないそうです。もしそうきかれたら、「トーゴーさん、トーゴーさん、トーゴーさん」と三回唱《とな》えると消えてしまうんだそうです。

S市の外《はず》れに、丘陵地を開発した大規模なニュータウンがある。中心部に当たる交差点には、大型のスーパーマーケットやファミリーレストラン、ビデオ・CDのレンタルショップや園芸品店が向かい合わせに並んでいる。

その交差点のガードレールの切れ目のところに、一年ほど前から小さなお地蔵さんが置かれるようになった。歩いていて目に入ったとしても、それがお地蔵さんだとはほとんど気付かない。このお地蔵さんは、白い石鹸《せっけん》を刻《きざ》んで作ってあるからだ。雨に打たれ、泥や排気ガスに汚れ、小さな小さなお地蔵さんは少しずつ形を崩して溶けてゆき、やがてはなくなってしまう。近所の人はみんなこのお地蔵さんのことを知っているが、誰が作ったものかは知らないそうだ。

お地蔵さんが溶けてなくなって暫くすると、また次のお地蔵さんが現われる。みんな同じ大きさの、小さな石鹸のお地蔵さんだ。なぜかこのお地蔵さんに悪戯《いたずら》をする子供はいないそうだ。お地蔵さんがあるからといって、特に過去にここで事故があったとか、誰か怪我をしたことがあったわけではないらしい。管轄警察署によると、ここはニュータウンの造成とともにできた新しい道路で、この交差点ではまだ一度も事故が起きたことがないそうである。

人の巻

二列のけやき並木が作るアーチの下を、柔らかい初秋の風が吹き抜けていく。夏が終わり、本格的な秋を迎えるまでの幕間《まくあい》のような季節である。チラチラと木洩《こも》れ日を浴びながら、緑色の天蓋《てんがい》の下を二人の男が歩いている。大柄な老齢の男と中肉中背の中年男。旧知の間柄らしく、穏《おだ》やかに談笑しながらゆるゆると足を進めている。

「いい季節ですねえ」

「本当に」

「どうですか、慣れましたか」

「まあ、徐々にね。やっと生活のリズムに身体《からだ》が馴染《なじ》んできたところです。日の出とともに起きるのは以前と同じなんですが、毎晩同じ時間に床につくのが慣れなくてね。最初のうちはよくハッと目が覚めましたよ、いかんいかん、居眠りしちまったって」

「でしょうねえ」

大柄な男はクスリと笑った。ほんの半年前まで、この男は日本の法曹界の中枢で想像を絶する激務の中心にいたのだ。無理もない。

「今までは時間というのは秒単位で戦うものでしたからね。ようやく、時間の流れることを楽しむことができるようになりましたよ。こう、茄子《なす》や葱《ねぎ》がちょっとずつ育っていくのを毎日見てるとね——待つことの喜びを感じるというかね」

「なるほど。それは羨《うらや》ましい。でも、貝谷《かいや》君はマスコミが放っておかないでしょう。辞める時も大騒ぎだったしね」

「来ます、来ます。よほど私のことを変人だと思ってるらしくて、うちの畑までよく見に来ますよ。でも、こっちは毎日淡々と農作業してるだけだしね、たいがい拍子《ひょうし》抜けして帰ります」

中肉中背の男は愉快そうに歯を見せた。それを見た隣の男もふふふ、と笑う。

貝谷毅《つよし》は、日本を揺るがした幾《いく》つもの汚職事件の捜査の陣頭指揮を長年とってきた生《は》え抜きの検事だった。その彼が、定年までまだかなりの年数があるのに東京地検を辞することにしたとと聞いて、周囲は非常に驚いた。さまざまな噂《うわさ》が走った。大手都銀が破格の条件で彼を顧問弁護士に雇ったとか、日本の閉鎖的な法曹界にコネを求める外資系企業が数年がかりで彼を引き抜いたとか——しかし、蓋《ふた》を開けてみると、どの噂も全《まった》くのでたらめであることが判明した。なおかつ彼の選んだ道は、更《さら》に周囲を驚かせるにじゅうぶんだった。

宮城《みやぎ》の郷里に帰って、実家の田畑を引き継いで農業をやるというのである。定年帰農という言葉は聞いていても、現役の検事が転職して農業をやるなんて話は聞いたことがない。みんながなぜだと彼に詰め寄った。しかし、彼はそういう質問を受けること自体が理解に苦しむという顔で答えた。

定年退職してからじゃ身体が動かなくなってるし、それまでに先祖伝来の田畑が荒れてしまう。女房も元々農家の娘で、今は彼女が時々くにに戻って人に任《まか》せている畑を見て回ってくれている。そろそろ私がやらないとね。

「そりゃ、私だって不安はありましたよ。最後に農作業を手伝ったのは大学時代でしたし、もう教えてくれる親はいないしね。最初のうちは、とにかく余計なことは考えないようにひたすら身体を動かしてました。やっとこっちでやっていけると自信がついたんで、関根《せきね》さんに葉書を出したんです」

貝谷はふと真顔になって呟《つぶや》いた。

関根多佳雄《たかお》は、さらりと書かれた水色の葉書を思い浮かべた。初めての収穫期を迎えるので、新酒と共にいかがですかとだけ書かれていた。その短いひとことに、人を呼べるようになるまでの基盤作りに彼の費《つい》やした努力が忍ばれた。

「光栄だね。でも本当は、私が君の知り合いの中で一番の暇人《ひまじん》だからだろう」

多佳雄はにやりと笑いながら毅の顔を見た。毅は前を見たままくっと笑う。

「確かに、私の同期で来られるようなメンバーはいませんからね。確実に来られる人間で選ばせてもらいました」

からりと晴れた空で、陽射《ひざ》しはかなり強い。しかし、この並木道の中は空気がひんやりして心地《ここち》好《よ》かった。冬はこのけやき並木いっぱいに豆電球が点《とも》され、この道も観光客や市民でいっぱいになるそうだが、今はベビーカーを押す若い母親がゆっくりと前を進んでいくのが見えるくらいだ。

「ちょうどいい街じゃないか。ほどほどに都会だし、一歩街を出れば山にも海にも近い」

「ここ数年のうちには百万都市になるでしょうね」

「ほう、まだ百万都市になってなかったのかい」

「うーん。数字の問題ですよ」

貝谷はちょっと困ったような顔で首をかしげたが、多佳雄には彼がなぜそんな表情をしたのか分からなかった。

トンネルのような並木道のアーチの向こうに、ぽっかりと開けた空間が見える。

光がとても遠くに見える。遠い、緑の闇の果て。

「街は生き物です。いや、もっというと、都市というのは化け物ですね」

貝谷は真面目な口調で呟いた。

「なんだい、改まって急に。農民になって、いきなり文明論を持ち出すのかね」

多佳雄がからかうように言うと、貝谷は柔らかな笑《え》みを浮かべた。

「昔読んだ小説にこういうのがありました――大都会ニューヨークをさまよう男の話です。彼は定職もなく毎日摩天楼《まてんろう》の都市を歩き回っている。そうすると、ほんのちょっとずつ奇妙な出来事が周りで起きている。たいした事件ではないけれど、少しずつ何かが変わっている。はっきり言って物語の大部分は退屈で、何も起こらない。それでも謎の女や謎の人物に振り回されて、彼は最後にやれやれと自分のアパートメントに帰ってくるわけです。ところが、最後の最後に、彼の部屋の隅っこに積んであった本の山がやおらむくむくと盛り上がって、人間の形の化け物になって彼に襲いかかってくる。ただそれだけの話なんですが、その部分がやけに印象に残ってましてね――私がその小説を読んだ時になぜか考えたのはですね、ある一定数を超《こ》えるとそれは別のものになる、ということなんです。数というのは大事です、いろんな意味で。都市もそう。互いに相手の顔を把握しきれないような数を超えてしまうと、その街――場所と言い換《か》えてもいい――は、それ自身の意思を持つんです。いったん意思を持つと、それはやがて何らかの方向性を持つようになる。比喩《ひゆ》じゃないですよ、ほんとうにそいつは生物のように、脳味噌を持っているように、物理的な意味で『考える』ようになる」

「ふうん。集団心理、というのとは違うのかい」

「それに近いけれど――もっと大きな――集団の外側に発生する意思とでもいうのかな」

貝谷は考え考え言葉を選んでいた。

「まだゼネコン汚職が表面化する前の数年間、私はこの街に帰ってくる度《たび》にその過程をまざまざと見せつけられたような気がします。もはやこの街は我々の手に負えるキャパシティを超えてしまった、という気が強くしたんです。ものすごい量の金が流れこんできているのは明白だったわけですよ。数ヵ月見ないだけで、地下鉄は延びてる、道路はできてる、街路樹は植わってる。S市が政令指定都市になるのは市長の長年の悲願でした。彼ははっきりこう言っていました。パイを大きくしなければならない。札幌《さっぽろ》を見ろ、あそこは政令指定都市になってパイを大きくした、それでみんなが潤《うるお》った、我々もそうしなければならないってね。そのために彼がしたことは何だと思います?」

貝谷はちらっと多佳雄の顔を見た。多佳雄は首をひねる。

貝谷は前を向いて口を開いた。

「S市を大きくしようとしたんです。大きくするにはどうすればいいか」

貝谷は一瞬黙り込み、今度はじっと多佳雄を見た。

「大きくする――」

多佳雄は呟いた。貝谷は小さく頷く。

「合併ですね」

さわさわとけやきの天井が揺れた。

「彼はS市に隣接する市町村を次々とS市に合併していくわけです。ある程度の人口規模にならないと政令指定都市になれませんからね。しかし、それに強硬に反対したのが隣にあったI市だった。I市は大きなベッドタウンで就業人口の占《し》める割合が高く、税収も豊かでした。福祉予算の市民一人当たりの額もS市よりずっと高かった。S市と合併すると受けられる市民サービスが低下すると言って大反対の声が上がり、住民投票まですることになったんです。さあ、すると何が起こったか」

貝谷は木々の梢《こずえ》を見上げる。

「合併話が持ち上がってからというもの、I市には夥《おびただ》しい数のビラが出回りました。最初は合併に反対する市民グループが定期的に発行していたものだけだったんですが、住民投票を行なうことが決定すると、合併に賛成しよう、子供の教育のために推進しようというビラが大量に撒《ま》かれるんです。その一方で、報道も加熱しました。共産系の新聞がすっぱ抜いた記事がありましてね。市長がパイプを持ってたゼネコンの下請《う》けの建設会社が工作のためにI市に送り込んだ社員の内訳リストのコピーですね、〇〇建設から何名、××建設から何名、彼等の日当、弁当代、バスのチャーター代まで書いてある。奇々怪々、とにかくI市には大量の人員が外から送り込まれたわけです。そうしたすったもんだの揚げ句、結局I市は合併されてしまうんですが」

貝谷は突然興味を失ったように言葉を切った。

「そういう生臭《なまぐさ》い話はさておき、私が思うに、これはこの街が持った意思によるものではないかなと」

「都市の意思だと？」

「そう。この街自身が『大きくなりたい』と思ったんじゃないか。『もっと、大きくなりたい』と。たまたまあの市長は『彼』の傀儡《かいらい》になっただけなんじゃないか。彼がいなければ誰かがまた『彼』の手先となって同じことをしていたんじゃないか。なぜならば、『彼』はどうしても『大きくなる』つもりだったから」

「ふうん。そいつは面白い。なぜ？」

多佳雄は関心を覚えて尋《たず》ねた。毅は首を振る。

「それが分からない。『彼』がなんのために大きくなりたがったのか。ただ、一つ言えるのは、あの時、大きくなるべき時は今しかないということを『彼』が知っていたということですね。それは現在振り返ってみると正しかった。あの時期、バブルでどんどんビルが建って市長の懐《ふところ》にばんばん金が流れこんで、その金をばらまいて、合併して政令指定都市にならなければ、この街はこんなに大きくなれなかったんですから。あと一、二年ずれていても駄目だったかもしれない」

「それはそうだね、確かにすごいタイミングだ」

「でしょう？　だからますます不思議に思うわけですよ。いったいなんのためなのか。『彼』はいったい何が目的なのか。私には、ただ闇雲《やみくも》に彼が大きくなりたがったとは思えない。『彼』が何かのために、何かを待っているためにそうしたとしか思えないんです」

多佳雄はすっと不意に気味が悪くなった。

無意識のうちに、周囲に視線を走らせる。今歩いている町中の風景が、何やら違ったものに見えてきたような気になったからである。

緑のトンネルが切れると、大きな通りに出た。

「そこがもうH川です。ずいぶん前に歌謡曲になったでしょう」

貝谷は、正面の建物を指差した。建物の向こう側が開けている気配があった。山が近い。

クラクションが鳴った。路肩に止めてあるRV車のドアを開け、いかにもアウトドア系のなりをした屈強そうな男が出てきて貝谷に手を振る。どうやら待ち合わせていたらしい。

「お待たせしました。この方が関根さん」

「はじめまして、白籏《しらはた》です。M大学で講師をやってます。さ、乗ってください」

四十歳前後だろうか。行動力と決断力が豊かであることを感じさせる身のこなしだ。

「関根です。はて、貝谷くんとはどういうおつきあいで？」

車に乗り込みながら多佳雄が尋ねた。

「貝谷さんには、うちの大学の市民講座で身近な法律セミナーをお願いしてるんですよ。ボランティアで法律相談も引き受けてくださってます」

「なるほど。で、これからどこへ？」

うふふ、と貝谷が笑った。

「観光地ではないS市をお見せします。急激に成長しつつある過程の都市の落とし子をね。その方が面白いでしょう？　我々の密《ひそ》かな研究課題なんですよ」

バックミラーの中で白簱が微笑《ほほえ》んだ。多佳雄は騙《だま》されたような気分になる。

「やっぱり君は全然変わっとらんな」

「当たり前でしょう。やっぱり一番面白いのは人間ですから」

車が走りだし、緑の風景が後ろに流れてゆく。

「白簱さんはね、個人的に都市伝説を研究されてるんですよ」

「ほう。どんなものを？」

多佳雄がバックミラーの中をのぞきこむと、白簱が口を開いた。

「いちがいには言えませんが――僕の個人的な意見ですが、共同体が大きくなっていき社会が変わっていく過程で、住民が心のどこかで不安を覚えたりプレッシャーを感じたりした時の歪《ゆが》みが都市伝説という形で出てくるんじゃないかと思ってるんですよ。S市はもともと大都市だったけど、近年特に急激に成長したから、どこかにそういうのが出てこないかなと思って観察してるんです」

「ふうん。都市伝説というのは、あの『口裂《さ》け女』みたいなのだろう？」

「ええ。あれが最もポピュラーな例ですね。でももっとオーソドックスなのでは、ハンバーガーに猫の肉が入ってるとか、ピアスの穴を開けたら白い糸が出てきて失明したとか。どれもその理屈で説明できる。ハンバーガーの噂は日本でファーストフードが広まりだした時で、ファーストフードという未知のものに対する不安と、ああいうもので食事を済ませるということに対する罪悪感がああいう噂になったんじゃないかと思います。ピアスの方にしても、これはかなり古いポピュラーな根強い噂で、まだピアスをする女の子が少なかった時期に、『親から貰《もら》った身体に穴を開けるなんて』という縛《しば》りが女性の中に残っていた時に現われた。僕が印象に残ってるのは、バブルで学生たちが超売り手市場だった頃に現われた噂ですね。みんなが幾つも内定を貰って、内定式には豪華ホテルに拘束されたなんて、今では夢のような時代ですが、ある証券会社の内定を蹴《け》ると、人事担当者に『ラーメンをご馳走《ちそう》するから』とラーメン屋に連れていかれて、運ばれてきたラーメンを頭にぶっかけられるという噂があったんですよ。学生うちではかなり有名な噂で、みんな友達の友達がそういう目にあったらしいと言うんだけど、誰も当事者がいない。あの時代は、株というもの、金融商品というものが初めて一般的なものになった時代だった。それまでは株というものはかなり色眼鏡で見られていたし、利ザヤで稼ぐなんてことを素人《しろうと》は知らなかった。とても儲《もう》かるらしいんだけど、当時はそういうもので儲けるということにまだ心の底で抵抗があったんじゃないでしょうか。それがそういう形で噂になったんじゃないかと思うんです」

話し始めると熱中するたちらしく、白籏は生き生きと話し続ける。

「面白いね。じゃあ、ここでも何かそういうものを見つけたとか？」

多佳雄は感心して尋ねた。白籏が頷く。

「赤い犬の話があります」

「赤い犬？」

「市内の中高生――しかも女の子の間に現われた噂です。特に新興住宅地の子供に流布率が高い」

「へえ。どんな話なの？」

多佳雄は興味をそそられた。赤い犬。日影丈吉《ひかげじょうきち》の小説にそういうのがあったような気がする。

「大抵、話の出所は友達のお姉さんかいとこに聞いたということになってます。必ず女性なんです。そして主人公も女性。若いOLで、ソフトウエア会社や銀行などに勤めている。仮にA子さんとしましょう。A子さんは郷里からS市に出てきて一人暮らしをしているOLである。A子さんは真面目で責任感の強い女性で、ある晩一人で残業をしていた。すると、後ろから『もういいかい？』という声がする。オフィスを見回すが、誰もいない。暫くすると、また『もういいかい？』という声がする。A子さんの席の後ろは大きな窓だ。あ、彼女の勤め先はビルの十階にあるということになってます。階数はいろいろですが、いつも高層階ですね。そこでA子さんが改めて窓の外を見ると、そこに真っ赤な犬が浮かんでいてA子さんを見ている。A子さんはびっくりして、恐怖のあまり家に逃げ帰り、熱を出して寝込んでしまう。A子さんが住んでいるのはマンションのやはり高層階。何日も寝込んで、やっと熱が下がって起き出したA子さんがカーテンを開けると、そこにまた赤い犬が浮かんでいて『もういいかい？』ときく。そこでA子さんは思わず『もういいよ』と言ってしまう。すると、犬は大声で笑いながら空中を走り去っていく。この場面はここでおしまい。次は、数日後、出勤してこない彼女を心配して同僚や上司が彼女の家を訪ねるところになります。部屋の鍵を開けてみると、全身から血を失い老女のようになったA子さんが死んでいる。これで話は終わりです。ただ、このあとに必ず教訓めいたものがつく」

「教訓？」

「そう。赤い犬を見かけて『もういいかい？』と聞かれたら、『もういいよ』と言ってはいけない。もしそう聞かれたら、『トーゴーさん、トーゴーさん、トーゴーさん』と三回唱えろというんです。そうすれば犬は消えてしまう」

「東郷《とうごう》さん、ねえ。今どきそんな名前を聞こうとは思わなかったよ」

多佳雄はバックシートにもたれかかった。

「その『トーゴーさん』というのが、誰か特定の人物を指しているのかどうかは分からないんですがね」

白籏は笑った。貝谷は何度も聞いている話らしく、ニコニコしながら多佳雄の表情をうかがっている。多佳雄は白旛が予期しているであろう質問をした。

「君はその話からどんな不安を導《みちび》き出してるのかね？」

「平たく言えば、ワーキングガールの挫折《ざせつ》。将来への不安ってとこでしょうか」

「へえ」

「この話に出てくるA子さんをどう思いますか。真面目で責任感があって、一人で深夜残業をこなしている。業種もソフトウエアや金融。総合職のキャリアウーマンというイメージですね。赤い犬を見て熱を出し、治りかけたとこでまた犬を見てしまう。何もいいところがない。真面目な人格者なのに報《むく》われない。しかも、僕が気になったのは、彼女を発見するのが恋人や友人ではなく会社の上司や同僚だという点です。彼女はとても孤独な死を迎える。男女雇用機会均等法は、かえって男女差別を浮き彫りにした。総合職の女の子たちはパイオニアとしてとても頑張った。しかし、男社会は依然として変わらず、彼女たちは報われていない。それどころか不景気になって、前よりも巧妙な形で女性の求人が排除されている。そういう社会状況を、今のティーンエイジャーが敏感に感じとっているんだと思います。A子さんのオフィスも住まいも高層階というのも気になります。社会的地位も経済力も高いところにあるんだけど、どことなく不安な感じがする。頑張って高いところに登らされたんだけれども、下から梯子《はしご》を外されたような不安ですね。彼女の死に方も象徴的です。血を失い、ひからびた姿で発見される。すなわち、若さの喪失です。頑張ってキャリアを積んでも、一人で老いていくだけだという恐怖。『もういいよ』という返事をすると死んでしまうというのも思わせぶりですね。『もういいよ』と言って、人生からも、女からも降りてしまうという意味が隠されてるんじゃないかな」

「はあぁ。ずいぶん深読みするもんだねえ」

多佳雄は半ばあきれて呟いた。白籏と貝谷はあははと声を挙げて笑う。

窓の外は、丘陵地に広がる住宅地帯になった。新しい家がびっしりとなだらかな稜線を埋めている。

「この辺《あた》りは特にこの噂が流行《はや》ったところですよ」

聞き流しながら整然とした町並みを見ているうちに、多佳雄は前方に現われたものを見てぎょっとした。

「な——なんだね、あれは？」

大きなカーブを回った瞬間、空の中に巨大な白い人影がそびえていた。相当な大きさだ。

「観音様《かんのんさま》ですよ」

「観音様？」

「ええ。信心深い人たちが建てたらしいんですが、何せあの大きさでしょ。びっくりしますよね」

「有り難いというよりも、はっきり言って怖《こわ》いね」

確かに観音菩薩《ぼさつ》だ。まだ新しいらしく、白い石が青空に眩《まぶ》しい。何か妙にくっきりしているというか、生々しい感じがする。

ようやく視界から石像が消えた。なんとなくホッとする。

貝谷が解説する。

「これから走るところが、この辺りでも一番新しい住宅地です」

きりと目に飛び込んでくる。規則正しく並んだ街路樹が見えてきた。真新しい道路のアスファルトがくっきりと目に飛び込んでくる。やがて多佳雄はあっけにとられた。これは何調というのだろう——アーリーアメリカンスタイルというべきなのか、山小屋風とでもいうべきなのか。パステルカラーの家がずらりと並んでいた。白いベランダに出窓、花いっぱいのプランターボックスが埋める庭。やはり真新しい公園には子供たちが遊び、若い母親たちがお喋《しゃべ》りをしている。

「これだけこういう家が並ぶと圧倒されるな。とても日本にいるとは思えない」

多佳雄は明るい色彩の洪水に目をぱちくりさせた。

「でしょう。しかも、碁盤の目のように正確に区画されてるから、暫くここを走ってると自分がどこを走ってるのか分からなくなるんですよ。かなり広いし、目印になるものがほとんどないんだから。あ、あそこだあそこだ」

前方に全国規模のチェーンのスーパーの看板が見えてきた。雰囲気的に見て、この新興住宅地の中心部らしい。交差点を挟んで、大型店が向かい合わせに建っている。

白籏はスーパーの駐車場に車を入れると、多佳雄に車を降りるよう促《うなが》した。三人で交差点に向かってぞろぞろと歩いていく。お茶でも飲むのかと思ったら、白籏と貝谷はガードレールに近付いていき、その場でかがみこんでいる。

「これだ。まだ残ってる」

「何が」

多佳雄が二人の後ろからのぞきこむと、そこには薄汚れた何かの塊《かたまり》が転がっていた。

「なんだ、そりゃ」

「お地蔵さんですよ」

「これが？」

「ええ。かなり溶けちゃってるけど、まだ足元が残ってるでしょ？」

そう言われてしげしげと見る。言われてみれば足のような気もするが、ただの固形物としか思えない。

「これ、石鹼でできたお地蔵さんなんですよ。誰かが石鹼を削って置いておくらしい」

「なんでまた」

「それが分からないんです。でも、一年くらい前から置いてあるって噂を聞いたことがあってね。これは本当だった。溶けてなくなると、また新しいのを置くらしいです」

「おかしな話だね」

「でしょう」

三人は再び車に乗り込み、市の中心部への道に戻った。だんだん日が落ちてくるのと反比例して、少しずつ辺りがごみごみしてくる。

丘の上に、ぽつんと古びた学校の校舎が見えた。

白籏がそれを指さす。

「あれは小学校なんですけど、あそこで僕の高校時代の友人が教師やってるんですよ。あの丘を越えると、もうI区です」

「さっき話した、かつてのI市ですね」

貝谷が解説を加えた。白籏が再び口を開いた。

「この辺りはさっきの住宅地とは逆に、市内でも一番高齢化の進んでる地域なんですよ。さっきの街ではほとんど年寄りを見掛けなかったでしょう。こっちは逆です。若い人と子供がほとんどいない」

「二極化してるわけだね」

「ええ。あの小学校も子供が減ってるそうです。そういえば、僕の友達の受け持ちのクラスでもおかしなことがあったらしいな」

「おかしなこと？」

「ずいぶん前のことになりますけど。ある朝学校に来てみたら、彼のクラスから椅子だけ消えてたんだそうです」

「椅子だけ？」

「不思議でしょ。机はあったし、他には何もなくなっていなかったのに、クラス全員分のパイプ椅子だけが一晩の間に盗まれてたんですって」

「それはミステリーだね」

貝谷もそれは初耳だったらしく、興味を示した。

「けっこう重たいよね、パイプ椅子は。それを何十個も盗み出すのって重労働じゃないか」

「何に使うんだろう」

「当時は話題になりましたよ。みんなで首をひねってましたが、結局謎のままでした。椅子も見つかってないし」

空が透《す》き通り始めている。夕暮れの心細さが三人を無言にした。

「どうです、都市伝説ツアー。だからなんなんだと言われればそれまでですが」

白籏がおどけた口調で笑った。

「いろいろ興味深かったよ」

多佳雄が答えると、貝谷が苦笑した。

「旅のしょっぱなから我々の趣味に同行していただいてすみません。明日は普通の観光地にご案内しますから。さて、食事に行きますか」

確かに奇妙なツアーだった。とらえどころがなく、それでいてどこかザラリと心の奥に触れる。

多佳雄はなんとなく後ろを振り返った。

遥《はる》か後方に、夕日を浴びてオレンジ色に輝く、あの巨大な石像のシルエットが忘れていた悪夢のように浮かび上がっていた。

天の巻

ワインのグラスを合わせると、ゆったりした夜の時間が始まった。

低くクラシック音楽が流れているが、しんとした夜が家の周りを包んでいるのが感じ取れる。

家——いや、店なのだろうが、やはりそれは家としか言いようがない。

貝谷と白籏が案内してくれた店は、H川沿《ぞ》いの住宅地の中にあった。

「ここですよ」

と言われ、誰か料理上手の友人の家にでも招待されたのかと思ったが、確かに小さな看板がある。しかし、どこから見ても普通の民家で、玄関を開けると中はやっぱり普通の民家なのであった。主婦と思《おぼ》しき女性に案内されて入った部屋は、畳に絨毯《じゅうたん》が敷いてあり、テーブルと椅子が置いてあった。しかし、靴を脱いで上がった廊下の奥の台所で、白い作業服を着た主人らしき男が見えたので、やはりレストランなのだと納得する。

運ばれてきた料理は本格的なフレンチだった。

「関根さん、あの石鹼のお地蔵さんをどう思われます？」

白籏が尋ねた。逆に聞き返す。

「君は得意の推論で何か考えたのかね」

「ええまあ――歴史が欲《ほ》しいんだけど、しがらみは欲しくないという気持ちの表れなのかな、と」

「もう少し詳《くわ》しく言うと？」

貝谷がワインを口に含みながら先を促した。

「あそこは完全に新しい街じゃないですか。あちこちからやってきた新参者どうしで、これから歴史を作る。逆に言うと、過去も個性も何もない。白紙状態で、記憶のない街です。住人たちも若い。世界はこれからだ。でも、それって結構不安な状態だと思うんですよ。人間誰しも共有する思い出が欲しいじゃないですか。その土地に生きるよすがみたいなものが。一から作るのって、やりがいがあるのと同時にしんどいことだ。伝統や時間の蓄積のあるものが羨ましく思えることもあるんじゃないかな」

「なんで石鹼なの？　モニュメントが欲しいんだったら石ででも作ればいいのに。石鹼じゃ消えてしまう」

オードブルをつまみながら貝谷が突っ込んだ。

「石鹼だというところがポイントなんですよ。石で作る勇気はまだない。土地に縛り付けられるのは怖い。因習に搦《から》め取られるのは嫌なんです。作者はかなり若い女の人だと思うな。伝統のあるものには憧《あこが》れているけれど、身の周りのものはいつも新しくて清潔なものでなきゃいやだ、みたいな」

「なるほどね」

ナイフとフォークが皿に接するかちゃかちゃという音が、硬質な音楽のように部屋に響く。

「――今の世の中は不連続だね」

多佳雄はマリネした茄子を口に運びながら呟いた。

「不連続？」

白籏が顔を上げる。

「うん。断続的というか、舞台劇みたいというか。時間の流れが続いていかない。生まれて育って老いて死んでという流れがあちこちでブッブッと遮断されて、一つの流れとして実感できないんじゃないかな。あまりにも住み分けが進んでしまっているから、世代間のギャップが大きすぎる。少し前までは十年くらいの年齢の差は同世代と感じられたのに、今じゃ一、二年でもう理解できなくなるらしい」

貝谷が頷く。

「そうですね。若い家族はみんな若い家族だけの街で、ああいう家で暮らすわけだ。そして年寄りになるとまた年寄り向きの場所に移動する。戦後、日本人は日常生活から死を隠した。障害者も隠した。年寄りも隠した。子供に対しては仕事まで隠すようになった。勉強してればいいからと、家事や家内労働の手伝いもさせなくなった。隠されると、何か特別な意味がついてしまう。知らないと、怖くなる。死も、老いも、大人になることも、全てが特別で恐ろしいことのようになってしまう」

「時間の流れを見通すことができないんですね。これだけテンポの速い時代だから、先の予測が不透明なのはしょうがないけどね」

庭で虫が鳴いている。しんとした夜の底で、小さな虫たちが勤勉に鳴き続けている。

閉じている窓の障子を見つめていると、ゆっくりとワインがきいてくるのを感じた。

「――『赤い犬』の正体が分かったような気がするんだが」

多佳雄はおもむろに口を開いた。

「えっ？」

白籏と貝谷がぽかんとした顔になる。が、すぐに白籏が勢いこんで声を大きくした。

「ほんとですか？　どうして？　何だったんです？」

矢継ぎ早に質問を浴びせる。

「これさ」

多佳雄はすっと左手を上げてみせる。二人は再びぽかんとした。多佳雄は小さく上げた手を揺すった。

「今、その障子を見ていて思い付いた。影絵だよ。小さい頃、影絵で遊ばなかったかい？　犬は定番だったろう？　こうして掌《てのひら》を広げて、立てた親指が耳。くっつけた三本の指が横顔だ。小指を上下に動かして、犬が吠えているところを再現してみせただろう」

多佳雄は自分が言ったとおり、掌を二人に向けて親指を立てると、小指を上下に動かしてみせた。二人は相変わらずきょとんとしている。白籏が恐る恐る口を開いた。

「ええ、やりました。確かに犬ですが、それが？」

「観音様だよ」

多佳雄はそっけなく答えた。

「観音様？」

「あのでかい観音様の手さ。印というのかな、指先が独特の形をしてるだろう。あの指のポーズが、犬の影絵を作る時の指に似てるんだ。それで、あの観音様の背中に日が沈む時、恐らくある時間帯はその手だけに光が当たるはずだ」

二人はあっという顔になった。多佳雄は頷いた。

「想像できるだろう？　ちょうど犬の横顔の形に赤い光が浮かび上がるんだよ。あの『赤い犬』の話で、舞台がどれも高層階だというのもこれで納得できる。あの観音様の手が犬の形に見える高さは、かなりの高さになるだろうからね」

「そうか。きっと誰か、あの辺りのマンションの上の方の階に住む人物が、ある日の夕方、偶然窓の外に観音様の手の『赤い犬』を見たわけだ。それがあんな都市伝説に」

白籏が興奮したように叫んだ。

「へえ、これは面白い。そんなところに噂の真相があったとは」

貝谷も感心したように腕組みをする。

多佳雄は一口ワインを飲むと、無表情に続けた。

「ついでに『トーゴーさん』の謎も解《と》けたよ」

「なんですって」

二人は目を丸くした。

「『トーゴーさん』は人名じゃないと思う」

「じゃあなんなんですか？」

白籏は食事も忘れて身を乗り出してくる。多佳雄はじっと障子を見つめた。

「恐らく、別のところから紛《まぎ》れこんできたんだね。何年も前にS市とI市が合併する騒ぎが持ち上がっていたころ、住民たちは連日その話題で持ち切りだったろうね。子供たちも、親が話し合っているところをじっと聞いていただろう。市が合併するとなれば、施設も再編されるに違いない。そんな噂もしていただろうね――私は子供の頃、耳で聞いていて意味の分からない言葉がいっぱいあった。『躊躇《ちゅうちょ》』とか『更迭《こうてつ》』とか『解雇』とかね。どうしても頭の中にイメージすることができないんだ。思えば、『合併』という言葉もよく分からなかった」

多佳雄は唇を湿した。

「たぶん、今の子供たちにも耳で聞いていたらよく分からないはずだ。よく大人の会話に出てくる『がっぺい』というのはなんだろう？　みんなが不穏な顔付きで話をしているのだから、何やら恐ろしいものに違いない、と考えるかもしれないね。更に、別の言葉もよく大人たちの口に上るようになる。組織を統廃合するという意味での『統合』だ。みんなが『とうごう』『とうごう』と不安そうな顔で言っているのを聞いて、子供たちも嫌な気分になったに違いない。『がっぺい』よりは『とうごう』の方が人名にもあるし、使いやすい。怖い言葉であった『とうごう』がやがて他の都市伝説と結び付いて魔除《まよ》けの言葉になるわけだ」

「なるほどォ」

ひたすら感心している白籏に対し、じっと話を聞いていた貝谷はだんだん考えこむような表情になってきた。

「どうかしましたか、貝谷君？」

その真剣な表情に不安を覚えて、多佳雄はためらいがちに声を掛けた。

貝谷はハッとしたように顔を上げる。

「いえね――私がここに帰る前の話なんですけど、新年の初売り帰りの客が、バスの急ブレーキで不運な事故にあって亡《な》くなった話を思い出したんですよ。その客は座席に座って、初売りで買った品物を膝の上に抱えていた。彼は奥さんに新しい包丁を買ってくるように頼まれていて、どうやらバスの中で頼まれたサイズの包丁かどうか包みを開いて確認しようとしていたようなんです。ちょうどその時、バスの前に子供が飛び出して運転手が急ブレーキをかけた」

「なんとまあ運の悪い」

多佳雄は話の続きを予想して顔をしかめた。

「包丁が箱から飛び出したところに、急ブレーキがかかって思い切り前につんのめった彼の腹に深く刺さってしまったんですね。そのまま彼は亡くなってしまったんですが、身元を確認する時に胸ポケットを検《あらた》めていて、彼宛《あ》ての手紙が見つかったんです。見ると、たくさんの子供たちの連名があって、『ぼくたちのこうちょうせんせいになってください』と書いてあった。彼はもう引退していたけれど非常に人望のあった教師で、近所の子供たちにもたいへん人気があったそうなんですね。近所の友達からそういう手紙を貰ったと言って、本気にはしていなかったけれどとても喜んでいたという奥さんの談話が新聞に載《の》っていて、ほろりとさせる話だったのを覚えています」

貝谷はそこまで一息に話すとため息をついた。

多佳雄と白籏は話の行方《ゆくえ》を見守っている。

「でも、今の関根さんの話を聞いているうちに、別の感想が浮かんできました。手紙を書いた子供たちは本気だったんじゃなかろうか」

「本気？」

「ええ。彼等は、本当にその死んだ教師を自分たちの校長にするつもりだったのではないか」

「自分たちの、とは？」

「自分たちの学校ですよ」

「自分たちの学校？」

今度は多佳雄と白籏が顔を見合わせた。

「やだな、関根さんが言ったんじゃないですか。合併すると統廃合される施設が出てくるかもしれないって」

貝谷は手首から先を振ってみせた。それでも多佳雄たちには意味が分からない。

「白籏さんの友人が教師をされているというあの小学校――あれはどうです？　地域の高齢化が進んで、子供が減ってきている。すぐ後ろは当時合併予定だったI市。ベッドタウンで子供の多いI市の学校に統合されても不思議じゃないんじゃないですか。死んだ教師はあの辺りに住んでいました」

貝谷はじっと白籏の顔を見た。白籏は意表を突かれた表情になる。

「きっと団結していたクラスなんでしょうね――他の学校に行かなければならなくなることを非常に恐れていた。そこで、彼等は今の学校がなくなってしまった時のために、自分たちだけの学校を作る準備をすることを思い付いたのではないか。学校に必要なもの。まず、校長先生だ。彼等はそう考えて、自分たちの好きな人を選んだ。一生懸命みんなで名前を書く。ぼくたちの校長先生になってください。次に、彼等はハードが必要だと考えた。まず真っ先に椅子を持ち出すことにした。早朝か、前日の夕方か。みんなでどこに持っていったのかは分かりませんが。しかし、大騒ぎになってそれ以上のものを持ち出すことが難しくなった」

なんとなく三人は、ふっつりと黙りこんだ。

「——どこで何が繋がってるか分かったもんじゃないね」

ワインリストを引き寄せながら、多佳雄がため息のように呟いた。

「ええ。逆に、やはりこの世のものは全てが繋がっているんですね。存在する限り、何かに影響を与え続け、同時に与えられ続けている」

白籏が興奮覚《さ》めやらぬ表情で笑った。

「いるんだね。やはり『彼』は。『彼』の意思が今もどこかで働いているんだね」

多佳雄はちらりと貝谷を見た。

貝谷はにやりと共犯者めいた笑みを浮かべ、目を伏せる。

「その目的は、我々ごときには一生分からないでしょうが」

白籏が店のマダムを呼んだ。

どこにいるのだろう。『彼』は。『彼』は何者なのだろうか。人はそれをなんと呼ぶのだろう。

造形主でもない、神でもない。それは我々がここにこうして地表にはびこり集《つど》っているのをじっと見守っているのだろうか。我々は何者だろう。我々はどこに行くのだろう。『彼』は知っているのだろうか。『彼』の行方を。我々の行方を。『彼』はいつも何も言わない。そっと一枚カードをめくってこちらに向けて見せるだけ。全てを手のうちに秘め、鮮《あざ》やかな幻を観客の目に焼きつけ、やがて無言で笑いながらショーの終わりを告《つ》げる魔術師のように。

あとがき

自分が三段論法の使えない人間であることはじゅうじゅう承知しているのだが、本格推理小説への憧《あこが》れ捨てがたく、数年に亘《わた》り悪戦苦闘したあげく、やっとのことで出来上がった短編集なのでこうして巻末に愚痴《ぐち》を申し上げることとした。

そもそも、このシリーズの主人公である関根多佳雄《せきねたかお》は私のデビュー作の主人公の父親だったのだが、なぜか友人の間では一番人気があったので、もう少しつきあってみようかと思ったのが始まりだった。

この短編集をまとめるにあたり、どの短編をタイトルにするか迷ったすえ、装幀《そうてい》のためにこのタイトルに決めた。私がある日古本屋で一目ぼれした東京創元社の三十年前のペーパーバック、バリンジャーの『歯と爪』。是非《ぜひ》これと同じ意匠で作りたいと思ったからである。この装幀をされたのは花森安治《はなもりやすじ》氏だった。たいへんなミステリファンであられた氏が天国で気を悪くしていないことを祈るのと同時に、お礼を申し上げたいと思う。また、氏の意匠を使わせていただくことを承諾してくださった東京創元社の戸川安宣《とがわやすのぶ》社長、氏の長女でいらっしゃる土井藍生《どいあおい》さん、完璧に再現してくださったデザイナーの方に深く感謝を捧げたい。

そして、雑誌掲載時はもとより、こうして本にまとまるまでさんざん迷惑を掛けた祥伝社の皆さん、ありがとうございます。
なるべく変な話、バラエティに富んだ話を心掛けたつもりなのだけれど、読者の皆さんに楽しんでいただけたかどうか考えると一抹《いちまつ》の不安が残る。立派な本格推理小説作家への道程《みちのり》は遠い。書いてから年数の経《た》ったものもあり、夜中にゲラ刷りを読み返す度《たび》、全部書き直したくなってとても困った。
以下、簡単に私的なコメントを。あまり（というより全然）参考にはならないと思うけど……

曜変天目《ようへんてんもく》の夜（早川書房刊『ミステリマガジン』一九九五年十一月増刊号初出）
一九九四年の秋、世田谷《せたがや》の静嘉堂《せいかどう》文庫美術館で公開された時に、実際このような状態で曜変天《ようへんてん》目《もく》茶碗を見た。茶碗よりも、後ろにいたおばさんの足をヒールで思い切り踏んでしまい、大声で罵倒《ばとう》されたことしか覚えていない。

新・D坂の殺人事件（集英社刊『青春と読書』一九九八年二月号初出）
団子坂《だんござか》ではなく道玄坂《どうげんざか》…失礼しました。乱歩《らんぽ》ファンの皆様、怒らないでください。
この短編のみ、発表時より大幅に書き直している。本文中の『D坂の殺人事件』は春陽堂書店江戸川乱歩文庫版より引用した。

給水塔（祥伝社刊『小説ｎｏｎ』一九九六年一月号初出・祥伝社文庫『不条理な殺人』一九九八年七月刊に収録）
不動産会社に勤務していた頃、普段《ふだん》見ることのない東京をあちこち見られて面白かった。中でも、都営浅草《あさくさ》線西馬込《にしまごめ》で見た給水塔はとてもインパクトがあって、この短編のモデルになった。今もあるのだろうか。

象と耳鳴り（祥伝社刊『小説ｎｏｎ』一九九七年十二月号初出・光文社カッパ・ノベルズ『最新「珠玉推理」大全（中）』日本推理作家協会編／一九九八年九月刊収録）
象って怖い…怖くないですか？　私がなぜ象が怖くなったか、その理由は自分でよく分かっている。赤江瀑《あかえばく》氏の短編で『象の夜』というのがあって、それを読んだせいである。

海にゐるのは人魚ではない（祥伝社刊『小説ｎｏｎ』一九九七年六月号初出）
ピアノを習っていた頃、この詩にこっそり個人的に曲を付けたことがあった。だから今でもこの詩を読むとその曲を思い出す。引用部分は岩波文庫『中原中也詩集』より。

ニューメキシコの月（祥伝社刊『小説ｎｏｎ』一九九六年八月号初出）
このアンセル・アダムスの写真は素晴らしい。この写真からは、もっと雄大な小説を書いてみたかった。

誰かに聞いた話（祥伝社刊『小説ｎｏｎ』一九九八年七月号初出）

『誰かに聞いた話なんだけど…』。この前置きって、よく考えると物凄く怖いフレーズである。その瞬間、語り手の責任は放棄され、フィクションが始まる。

廃園（祥伝社刊『小説ｎｏｎ』一九九八年三月号初出）

森川久美《もりかわくみ》氏が『青色廃園』で登場した時はとてもショックを受けた。庭というのは永遠に物語好きをくすぐる秘密の匂いがする。

待合室の冒険（祥伝社刊『小説ｎｏｎ』一九九八年十月増刊号初出）

『九マイルは遠すぎる』。見果てぬ夢。

机上の論理（祥伝社刊『小説ｎｏｎ』一九九九年二月号初出）

いつか関根三兄弟総出演のミステリを書いてみたいけど、理屈っぽくて嫌な話になりそうである。

往復書簡（祥伝社刊『小説ｎｏｎ』一九九九年六月号初出）

書簡のみの長編ミステリも書いてみたいけど、とても難しそうである。

この本を校正して下さった方から多田道太郎《ただみちたろう》氏の『変身 放火論』（講談社刊）の存在を教えていただいた。関根多佳雄の考えていた「放火小説」とはかなり違っていたが、面白い読み物なので興味を持たれた方はご一読を。

魔術師（書下ろし）

関根多佳雄を主人公とした長編として、かつて構想していたものを縮めてみた。

地方自治というテーマは、物語としてもミステリー的にもいつかはきちんと扱ってみたいと思っているテーマの一つである。

一九九九年九月　　恩田　陸

文庫版あとがき

早いもので、もう三年経ってしまった。

今読み返してみても、全部書き直したくなってしまうという心境は変わらないが、これくらい時間が経ってしまうと、多少諦めというか苦笑というか「若かったのう」という境地になったのも確かである。

思えば、当時はまだ駆け出しで、個人的に「本格ミステリの短編集を作りたーい！」という夢を実現することしか頭になく、おのれの能力等は考えもせずに突っ走っていたのであった。無謀というか、やはり若かったのだ。

作家になって十年経ったが、今でも読者として一番好きなのは本格ミステリである。私は、本格ミステリというのは、「説得」と「納得」の小説だと思っている。こじつけだ、詭弁《きべん》だ、よくみると論理的でないと言われようとも、小説を読んだ時に読者がその中で「納得」し、「説得」されれば、その本格ミステリは成功しているのだ。そして、その「納得」に「驚嘆」が加わるようであれば、それは本格ミステリとして傑作だと言えるだろう。そんなミステリを求めて、今日も寝る前にそっとページを開く。

この短編集を作る時のしんどかったことを思い出すと、ただでさえ小心で怠惰《たいだ》な私は、なかなか新たな本格ミステリを書く勇気が出ない。けれども、単行本のあとがきで触れていた、関根三兄弟が喋りまくり空回りしまくるミステリと、「魔術師」の長編バージョンにはまだ未練があるので、気長に書いていきたい。

二〇〇三年一月　　　恩田　陸

解説――「パズラーと恩田陸、または形式とイマジネーションの幸福な結婚について」

(作家) 西澤保彦《にしざわやすひこ》

パズラー(もしくは狭義な意味での本格ミステリ)とは何か? 他の犯罪小説(もしくは広義な意味でのミステリ)とパズラーを隔《へだ》てるものとは、都筑道夫《つづきみちお》に倣《なら》って言えば「論理による謎」(晶文社刊『黄色い部屋はいかに改装されたか?』より)であるべきだろう。単に殺人事件が起こりました、犯人は誰それと判明しました云々と記述するだけではパズラーたり得ない。そこには巧緻《こうち》な論理による謎という要素が必要不可欠なのである。そして註釈を付けるならば、この「論理による謎」には、ふたつの意味合いがある。ひとつは「論理によって解体される謎」であり、そしてもうひとつは「論理によって構築される謎」である。

(注・本格ミステリにおけるロジックとは、数学的論理性とは無縁の代物で、これを筆者は発言の機会があるごとに、擬似論理だの、アーティフィシャル・ロジックだのといった無理めの造語を使って説明を試みてきたが、最近、氷川透《ひかわとおる》のウェブ日記で「本格における論理とは、ロジックではなくレトリックである」という至言を発見した)

都筑道夫は、パズラーがもっとも純粋なミステリ小説の形であると考えられる根拠について、「なぜかといえば、ほかのジャンルの小説と、推理小説がいちばん違っている点は――つまり、ほかのジャンルの小説では間にあわすことのできないおもしろさは、人工的に組立てられた謎が論理によって（論理性をもって、と多少あいまいな表現にしてもいいが）、解明されることにあるだろうからだ」（晶文社刊『死体を無事に消すまで』より）と述べている。

また有栖川有栖《ありすがわありす》は、本格ミステリの醍醐味《だいごみ》を他のジャンル小説であるSFと照応させる形で、「SFの魅力は、しばしば〈センス・オブ・ワンダー〉という言葉に還元される。本格ミステリにはそれに対応するキャッチ・フレーズはないし、空想の翼を広げて飛翔するSFとは反対に、世界を一点に収斂させるために縮もうとする。一見、両者はそっぽを向いているかのようだが、本格心が希求するのは〈不思議な謎が解ける不思議〉であり、それもまた言い換えれば〈センス・オブ・ワンダー〉なのだ」（角川書店刊『迷宮逍遥』より）と述べている。

（注・ついでに言及しておけば、「不思議な謎が解ける不思議」とは「どう考えても合理的な説明がつきそうにない謎が、いつの間にかきれいに解体されてしまうカタルシス」と換言できる。通常なら成立しないはずの論理〔＝解明プロセス〕を可能にする手法こそ、氷川の言う「レトリック」であることは論を俟《ま》たない）

ここで有栖川有栖が使用している「縮む」という表現に着目したい。もちろん、有栖川本人が決して否定的な意味合いからこの言葉を採択したわけではないことはその論旨からも明らかだが、図《はか》らずも一般的にパズラーが抱かれやすい陳腐なイメージが集約された表現であることも、残念ながら事実だろうと思う。すなわち、謎解きを主眼とする小説は、謎が解体されてしまえばすべては終わりで、それ以上読者のイマジネーションを飛翔させてくれない（その不満は、人間が描けていない、という常套句《クリシェ》によって代弁されるケースが多い）、もはや小説とも呼べない、単なるクイズのようなものだ——などと。

いや、そんなことはない。優れたパズラーは単なるクイズとはちがう。それは都筑道夫や有栖川有栖の、時代を越えた超絶技巧に裏打ちされた諸作を繙《ひもと》くまでもなく、明らかである。パズラーは小説というよりもクイズのような遊戯とする誤解は、謎を「解かれるもの」という一面的な捉《とら》え方しかできないところから生じる。「論理による謎」とは「論理によって解体される」のみならず、「論理によって構築される」物語なのだ。

譬《たと》えるならば、一枚の折り紙がハサミの切れ目も入れられることなく鮮やかに鶴などに姿を変えてしまう不思議、とでも言おうか。完成された鶴が「謎」とするなら、その折り方の手順が解明のプロセス（＝ロジック＝レトリック）に相当しよう。そしてこの場合、「謎」は完成形である鶴だけではない、というのが重要な点なのだ。鶴を見せられたわたしたちは、その折り方の手順（＝ロジック）を遡行《そこう》することにより、元の何の変哲もない一枚の折り紙に対する不思議に想いを馳《は》せるに至る。ロジック（＝レトリック）は完成された時、謎を解体するばかりではなく、構築することによって物語世界に美と神秘性を付与するのである。

（注・この折り紙のアナロジーは筆者のオリジナルではない。どなたの発案だったのか失念してしまったので、ご存じの向きがいればご教示願いたい）

さらに敷衍《ふえん》するならば、一枚の折り紙がいったいどんなものに生まれ変わるのか、すなわち論理がどれだけアクロバティックに飛躍を遂げるのか、それこそがパズラーの醍醐味であろう。巧緻なレトリックを介在させることで創作者のイマジネーションは、ひとつの物語（＝謎）として結実する。凡百のパズラー作品は、それこそ鶴だの飛行機だのといった凡庸な姿の謎しか提示できないかもしれない。しかし、例えば恩田陸という、稀代のストーリーテラーが本腰を入れてパズラーという形式に取り組んだ時、そこにはいったい如何なる不思議が現出するのか？

恩田陸。この稀有な才能の巨大さを語り尽くすには紙面も筆者の技量も足りないが、最低限の輪郭を伝えるために、恩田の『三月は深き紅の淵を』（講談社文庫）に寄せられた皆川博子《みながわひろこ》の解説を引用しておこう。皆川は、ノスタルジアというキーワードをもって恩田陸という作家が語られがちな現状を受け、こう述べる。

郷愁。ノスタルジア。恩田さんがこの言葉を使うとき、それは老いたものが過ぎた日をなつかしむ懐旧の思いとは性質が異なる。現実には体験していないのに、懐かしい。「心地よく切ないものであると同時に、同じくらいの忌まわしさにも満ち」〈本書〔筆者注・前出書〕343ページ〉ているそれこそが、永遠とも無限とも呼ばれる〈時〉であろう。人はそれより生まれ出て、それに還《かえ》る。人の時間でいう過去も現在も未来も、すべて、そこに在る。それを視る力を恩田陸は持ち、そうしてさらに、その感覚を、物語として私たちに伝える力をも持っているのである。

恩田陸の「物語を伝える力」が、例えばSF、ファンタジーなどに代表される壮大なスケールの物語世界にこそ相応《ふさわ》しいという意見に異論を唱《とな》える向きはあまりいないだろう。その恩田陸にもこれまで前出の『三月は深き紅の淵を』をはじめとするストレートなミステリ作品がなかったわけではないものの、しかし彼女が本書『象と耳鳴り』のような、贅肉を極限まで削ぎ落とした純正のパズラーを書くとは、少なくとも筆者は正直予想していなかった。それは前掲の有栖川有栖の一文に倣えば、恩田の作家性とパズラーの特色は互いに「そっぽを向いて」いるかのように、なんとなく思い込んでいたからである。

（注・『象と耳鳴り』は探偵小説研究会編・著による二〇〇〇年版〈本格ミステリ・ベスト10〉（当時は東京創元社刊、現在は原書房刊）で第5位を獲得したが、その寸評で小森健太朗《こもりけんたろう》が筆者と同様、恩田陸が都筑道夫の系譜に連なるパズラー作品集をものしたことへの驚きを吐露《とろ》している。

また同誌上で『象と耳鳴り』の総評を記した濤岡寿子《なみおかとしこ》は、「通り過ぎてしまえば時の向こうに行ってしまう風景も、関根多佳雄（筆者注・本書の主人公）が立ち止まり振り返ると、その『時』と『場所』の物語となって立ち現れてくる」と非常に的確な指摘をした上で、パズラー一般における「謎の捏造《ねつぞう》」「解明の恣意《しい》性」という根源的な問題にまで論を進めている。前掲の皆川博子の解説と併《あわ》せて読めば、恩田陸がパズラーという形式の上に、その大いなるイマジネーションを結晶化させた本書の歴史的快挙が改めて浮き彫りになろう）

皆川博子の言う「感覚」を物語として伝える力を持つ恩田陸が「論理（＝折り方の手順）」によって「謎（＝折り紙作品）」を提示した時、それは考え得る限り最高の純度を誇るパズラー作品集でありながら、なおかつ従来のパズラーでは想像もできなかった、遥か彼方の次元へと突き抜けてしまったのである。表題作や「曜変天目の夜」「魔術師」などの宇宙を、閃光を、そして永遠を見よ。決して一点に「縮む」ことなく、どこまでも飛翔するイマジネーション。恩田陸の紡《つむ》ぎ出す幻想性は、折り方の手順（＝レトリック）をＶＴＲの逆回しさながらに暴露されてもなお、その輝きを失うことはない（それこそがパズラーの、論理による謎の構築美という極意でもある）。まるで魔法にでもかけられてしまったかのような陶然とした心地を、読者はいつまでも、いつまでも味わうのだ。

パズラー作品集としての『象と耳鳴り』の成果は、ほとんど奇蹟的である。前掲の〈本格ミステリ・ベスト10〉の寸評で法月綸太郎《のりづきりんたろう》は本書を「『洗練』をきわめた好短編集」と絶賛したが、まさしくその通り。これほど高レベルの作品集は、あるいは恩田本人の力をもってしても生涯に二冊以上は編めないのではないか、と危ぶんでしまうほどに。

かつて都筑道夫は、「E・A・ポオのイマジネーション、エラリイ・クイーンのロジック、エドマンド・クリスピンのウイット、それに売ろうとするならば、アガサ・クリスティーのメロドラマを併せもったもの」を自身の理想の小説（＝パズラー）とした（『死体を無事に消すまで』より）。その理想の「近似値をもとめて」（同）数々の実作を試みた都筑にしても、まさかそれから三十年という歳月を経たいま、近似値どころか、理想自体を遥かに凌駕する〝奇蹟〟がこうして生み落とされる日を迎えることになるとは、夢にも思わなかったのではあるまいか？

（文中敬称略）

（この作品『象と耳鳴り』は、平成十一年十一月、小社から四六判で刊行されたものです）

一〇〇字書評

象と耳鳴り

切り取り線

購買動機（新聞、雑誌名を記入するか、あるいは○をつけてください）	
□（　　　　　　　　　　）の広告を見て	
□（　　　　　　　　　　）の書評を見て	
□ 知人のすすめで	□ タイトルに惹かれて
□ カバーが良かったから	□ 内容が面白そうだから
□ 好きな作家だから	□ 好きな分野の本だから

・最近、最も感銘を受けた作品名をお書き下さい

・あなたのお好きな作家名をお書き下さい

・その他、ご要望がありましたらお書き下さい

住所	〒				
氏名		職業		年齢	
Eメール	※携帯には配信できません		新刊情報等のメール配信を 希望する・しない		

この本の感想を、編集部までお寄せいただけたらありがたく存じます。今後の企画の参考にさせていただきます。Eメールでも結構です。

いただいた「一〇〇字書評」は、新聞・雑誌等に紹介させていただくことがあります。その場合はお礼として特製図書カードを差し上げます。

前ページの原稿用紙に書評をお書きの上、切り取り、左記までお送り下さい。宛先の住所は不要です。

なお、ご記入いただいたお名前、ご住所等は、書評紹介の事前了解、謝礼のお届けのためだけに利用し、そのほかの目的のために利用することはありません。

〒一〇一 - 八七〇一
祥伝社文庫編集長　坂口芳和
電話　〇三（三二六五）二〇八〇

祥伝社ホームページの「ブックレビュー」からも、書き込めます。
http://www.shodensha.co.jp/bookreview/

祥伝社文庫

象《ぞう》と耳鳴《みみな》り

平成15年 2 月20日　初版第 1 刷発行
令和 元 年10月10日　　　第14刷発行

著　者　恩田陸《おんだりく》

発行者　辻　浩明

発行所　祥伝社《しょうでんしゃ》
東京都千代田区神田神保町 3-3
〒101-8701
電話　03（3265）2081（販売部）
電話　03（3265）2080（編集部）
電話　03（3265）3622（業務部）
http://www.shodensha.co.jp/

印刷所　萩原印刷
製本所　ナショナル製本

Printed in Japan ©2003, Riku Onda ISBN978-4-396-33090-3 C0193

祥伝社文庫の好評既刊

西村京太郎ほか
不可思議な殺人
西村京太郎・津村秀介・小杉健治・鳥羽亮・日下圭介・中津文彦・五十嵐均・梓林太郎・山村美紗

有栖川有栖ほか
まほろ市の殺人
どこかおかしな街「まほろ市」を舞台に、有栖川有栖、我孫子《あびこ》武丸《たけまる》、倉知《くらち》淳《じゅん》、麻耶《まや》雄嵩《ゆたか》の四人が描く、驚愕の謎！

近藤史恵
カナリヤは眠れない
整体師が感じた新妻の底知れぬ暗い影の正体とは？　蔓延する現代病理をミステリアスに描く傑作、誕生！

近藤史恵
茨姫《いばらひめ》はたたかう
ストーカーの影に怯《おび》える梨花子《りかこ》。対人関係に臆病な彼女の心を癒《いや》す、繊細で限りなく優しいミステリー。

近藤史恵
Shelter
心のシェルターを求めて出逢った恵といずみ。愛し合い傷つけ合う若者の心に染みいる異色のミステリー。

久美沙織
いつか海に行ったね
「おとーさんげんきですか。」――絵日記に描かれた大海原に、もう一人の少年が「嘘だ！」と噛みついた。そして……。

祥伝社文庫の好評既刊